U0264760

1551820017

中华人民共和国国家标准

互联网数据中心工程技术规范

Technical code for internet data center engineering

GB 51195 - 2016

主编部门：中华人民共和国工业和信息化部
批准部门：中华人民共和国住房和城乡建设部
施行日期：２０１７年４月１日

中国计划出版社

2016 北 京

中华人民共和国国家标准

互联网数据中心工程技术规范

GB 51195-2016

☆

中国计划出版社出版发行

网址：www.jhpress.com

地址：北京市西城区木樨地北里甲 11 号国宏大厦 C 座 3 层

邮政编码：100038　电话：(010) 63906433（发行部）

三河富华印刷包装有限公司印刷

850mm×1168mm　1/32　2.875 印张　70 千字

2017 年 2 月第 1 版　2018 年 2 月第 2 次印刷

☆

统一书号：155182·0017

定价：18.00 元

版权所有　侵权必究

侵权举报电话：(010) 63906404

如有印装质量问题，请寄本社出版部调换

中华人民共和国住房和城乡建设部公告

第 1289 号

住房城乡建设部关于发布国家标准
《互联网数据中心工程技术规范》的公告

现批准《互联网数据中心工程技术规范》为国家标准,编号为 GB 51195—2016,自 2017 年 4 月 1 日起实施。其中,第 1.0.4、4.2.2 条为强制性条文,必须严格执行。

本规范由我部标准定额研究所组织中国计划出版社出版发行。

中华人民共和国住房和城乡建设部

2016 年 8 月 26 日

前　言

本规范根据住房城乡建设部《关于印发〈2010 年工程建设标准规范制定、修订计划〉的通知》(建标〔2010〕43 号)的要求,由中国移动通信集团设计院有限公司会同有关单位共同编制完成。

本规范在编制过程中,编制组进行了深入的调查研究,认真总结了互联网数据中心工程的实践经验,分析了各种技术的应用与发展状况,广泛征求全国有关单位和专家的意见,并参考了国内外相关标准规定的内容,最后经审查定稿。

本规范共分 5 章,主要技术内容包括:总则,术语和缩略语,互联网数据中心工程设计,互联网数据中心工程施工和互联网数据中心工程验收。

本规范中以黑体字标志的条文为强制性条文,必须严格执行。

本规范由住房城乡建设部负责管理,工业和信息化部负责日常管理,中国移动通信集团设计院有限公司负责具体技术内容的解释。本规范在应用过程中如有需要修改与补充的地方,请将有关意见和建议反馈给中国移动通信集团设计院有限公司(地址:北京市海淀区丹棱街甲 16 号,邮政编码:100080),以供修订时参考。

本规范主编单位、参编单位、主要起草人和主要审查人:

主 编 单 位: 中国移动通信集团设计院有限公司

参 编 单 位: 中讯邮电咨询设计院有限公司

广东省电信规划设计院有限公司

中国电子工程设计院

世纪互联数据中心有限公司

华为技术有限公司

主要起草人: 崔海东　刘　洪　邓重秋　姜俊海　雷　鸣

彭广香　吴一波　郭英鹏　钟景华　张　朵
刘　龙　孟繁涛
主要审查人：周振勇　何宝宏　高剑波　张鹏飞　李　宁
鲍宁远　冯　璞　李志国　翁晓伟

目　次

1　总　　则 ……………………………………………………（1）

2　术语和缩略语 ………………………………………………（2）

　　2.1　术语 ………………………………………………………（2）

　　2.2　缩略语 ……………………………………………………（4）

3　互联网数据中心工程设计 …………………………………（6）

　　3.1　业务功能 …………………………………………………（6）

　　3.2　系统组成 …………………………………………………（7）

　　3.3　IDC 分级 …………………………………………………（7）

　　3.4　机房基础设施 ……………………………………………（8）

　　3.5　网络系统 ………………………………………………（18）

　　3.6　资源系统 ………………………………………………（21）

　　3.7　业务系统 ………………………………………………（22）

　　3.8　管理系统 ………………………………………………（22）

　　3.9　安全 ……………………………………………………（26）

　　3.10　计费 ……………………………………………………（27）

　　3.11　码号与地址 ……………………………………………（28）

　　3.12　网络服务质量 …………………………………………（28）

　　3.13　能耗 ……………………………………………………（28）

　　3.14　设备配置 ………………………………………………（29）

　　3.15　环保 ……………………………………………………（30）

4　互联网数据中心工程施工 ………………………………（31）

　　4.1　施工组织 ………………………………………………（31）

　　4.2　机架及 IT 设备系统的施工前准备 …………………（31）

　　4.3　机架安装 ………………………………………………（33）

  4.4　IT 设备安装 ……………………………………………（36）

  4.5　IT 设备系统调测 ………………………………………（41）

  4.6　竣工文件 ………………………………………………（45）

5　互联网数据中心工程验收 …………………………………（47）

  5.1　工程初验 ………………………………………………（47）

  5.2　工程试运行 ……………………………………………（50）

  5.3　工程终验 ………………………………………………（51）

本规范用词说明 ………………………………………………（53）

引用标准名录 …………………………………………………（54）

附:条文说明 …………………………………………………（55）

Contents

1 General provisions ·· (1)

2 Terms and abbreviations ··· (2)

  2.1 Terms ·· (2)

  2.2 Abbreviations ·· (4)

3 IDC engineering design ·· (6)

  3.1 Service functions ··· (6)

  3.2 System constitution ····································· (7)

  3.3 IDC tiering ··· (7)

  3.4 Room infrastructure ···································· (8)

  3.5 Network system ·· (18)

  3.6 Resource system ··· (21)

  3.7 Service system ·· (22)

  3.8 Management system ····································· (22)

  3.9 Security ·· (26)

  3.10 Charging ··· (27)

  3.11 Code and address ····································· (28)

  3.12 Network quality of service ························ (28)

  3.13 Energy consumption ·································· (28)

  3.14 Equipment configuration ·························· (29)

  3.15 Environmental protection ························· (30)

4 IDC engineering construction ·································· (31)

  4.1 Construction organization ···························· (31)

  4.2 Construction preparation of rack and IT equipment ········· (31)

  4.3 Rack installation ··· (33)

4. 4　IT equipment installation ⋯⋯⋯⋯⋯⋯⋯⋯⋯⋯ (36)

4. 5　IT equipment and system test ⋯⋯⋯⋯⋯⋯⋯⋯ (41)

4. 6　Completed files ⋯⋯⋯⋯⋯⋯⋯⋯⋯⋯⋯⋯⋯⋯ (45)

5　IDC project acceptance ⋯⋯⋯⋯⋯⋯⋯⋯⋯⋯⋯ (47)

5. 1　Project preliminary acceptance ⋯⋯⋯⋯⋯⋯⋯⋯ (47)

5. 2　Engineering commissioning ⋯⋯⋯⋯⋯⋯⋯⋯⋯⋯ (50)

5. 3　Project final acceptance ⋯⋯⋯⋯⋯⋯⋯⋯⋯⋯⋯ (51)

Explanation of wording in this code ⋯⋯⋯⋯⋯⋯⋯ (53)

List of quoted standards ⋯⋯⋯⋯⋯⋯⋯⋯⋯⋯⋯⋯ (54)

Addition：Explanation of provisions ⋯⋯⋯⋯⋯⋯⋯⋯ (55)

1 总 则

1.0.1　为使互联网数据中心（IDC）工程做到技术先进、经济合理、安全可靠、节能节材、可持续发展，保证工程质量，制定本规范。

1.0.2　本规范适用于 IDC 的新建、改建和扩建工程的设计、施工及验收。

1.0.3　IDC 工程应选用符合国家现行有关技术要求的定型产品。未经产品质量监督检验机构鉴定合格的设备及主要材料，不得在工程中使用。工程中采用的电信设备，应取得电信设备进网许可证。

1.0.4　在我国抗震设防烈度 7 度以上（含 7 度）地区 IDC 工程中使用的主要电信设备必须经电信设备抗震性能检测合格。

1.0.5　IDC 工程的设计、施工和验收，除应符合本规范外，尚应符合国家现行有关标准的规定。

2 术语和缩略语

2.1 术　　语

2.1.1　互联网数据中心　　internet data center

互联网数据中心(IDC)是一类向用户提供资源出租基本业务和有关附加业务、在线提供 IT 应用平台能力租用服务和应用软件租用服务的数据中心,用户通过使用互联网数据中心的业务和服务实现用户自身对外的互联网业务和服务。互联网数据中心以电子信息系统机房设施为基础,拥有互联网出口,由机房基础设施、网络系统、资源系统、业务系统、管理系统和安全系统组成。

2.1.2　IT 设备　　IT equipment

IT 系统中的软硬件设备称为 IT 设备。IT 系统是由计算机软硬件设备、通信设备及相关配套设备构成,按照一定的应用目的和规则,对信息进行处理的电子信息系统。IT 设备包括各类服务器设备、存储设备和网络设备,以及运行在这些设备上的软件。

2.1.3　基本业务　　basic service

指互联网数据中心向用户提供的 VIP 机房出租、主机托管、机架出租、服务器出租、虚拟机出租、带宽出租、IP 地址出租等各种业务。

2.1.4　附加业务　　additional service

指互联网数据中心在基本业务之上可由用户选购的业务,包括安全防护类、数据存储类、流量管理类、维护管理类、内容管理类、系统集成类等各类业务。

2.1.5　机房基础设施　　room infrastructure

IDC 的机房建筑、机架、供电系统、空调系统、布线系统、消防系统、安防系统、动力环境监控及能耗管理系统等的总称。

2.1.6 网络系统 network system

由路由器、交换机等网络设备按一定的拓扑结构连接而成，对外实现 IDC 与互联网的互联，对内承载 IDC 资源系统、业务系统和管理系统。

2.1.7 资源系统 resource system

为业务系统提供的开展业务运营所需的基础资源池，包括计算资源、存储资源、网络资源、软件能力资源和软件应用资源等。

2.1.8 业务系统 service system

IDC 提供基本业务、附加业务和其他业务的设施总称，由资源系统提供的各种服务能力整合而成。

2.1.9 管理系统 management system

为 IDC 运营维护提供必要管理支撑的 IT 系统，包括网络管理、资源管理、业务管理和运营管理等。

2.1.10 安全系统 security system

为保障 IDC 正常提供业务和服务的安全技术措施、进行安全管理和保障信息安全的设施总称。

2.1.11 一类地区 class 1 area

最冷月平均气温小于或等于 −10℃、日平均气温小于或等于 5℃ 的天数大于或等于 145d，且发电量大于用电量、地质灾害较少的地区。

2.1.12 二类地区 class 2 area

最冷月平均气温在 0℃ 到 −10℃ 之间、日平均气温小于或等于 5℃ 的天数在 90d 到 145d 之间，或最冷月平均气温在 0℃ 到 −13℃ 之间、最热月平均气温在 18℃ 到 25℃ 之间、日平均气温小于或等于 5℃ 的天数在小于或等于 90d，且发电量大于用电量、地质灾害较少的地区。

2.1.13 三类地区 class 3 area

气候适宜、紧邻能源富集地区、地质灾害较少的地区。

2.1.14 有效面积利用率 effective area utilization

IDC 有效使用面积与 IDC 总建筑面积的比值。IDC 有效使用面积指 IDC 主机房区和支持区可使用的机房净面积,以及辅助区中与客户使用服务相关的区域的可使用净面积。

2.1.15 单机架平均运行功率 average run power of single rack

单个机架内安装的所有 IT 设备的日平均运行功率。

2.1.16 一类市电供电 first class power supply

从两个稳定可靠的独立电源各自引入一路供电线路,该两路供电线路不应同时出现有计划检修停电。

2.1.17 二类市电供电 second class power supply

由两个以上独立电源构成稳定可靠的环形网上引入一路供电线,或由一个稳定可靠的独立电源(或从稳定可靠的输电线路上)引入一路供电线。该供电线路允许有计划检修停电。

2.1.18 电能利用效率 power usage effectiveness

IDC 总能耗与 IT 设备能耗的比值。其中,IT 设备能耗指 IDC 主机房中安装的各类 IT 设备实际运行耗能总和,IDC 总能耗是维持 IDC 正常运行的所有耗能,包括 IT 设备、IDC 机房基础设施各系统设备的耗能总和。

2.2 缩 略 语

BGP(Border Gateway Protocol) 边界网关协议

BSS(Business Support System) 业务支撑系统

CDN(Content Delivery Network) 内容分发网络

CPU(Central Processing Unit) 中央处理器

DDoS(Distributed Deny-of-Service) 分布式拒绝服务

DMZ(Demilitarized Zone) 隔离区

IDC(Internet Data Center) 互联网数据中心

IDS(Intrusion Detection System) 入侵检测系统

IP(Internet Protocol) 互联网协议

IPMI(Intelligent Platform Management Interface)　智能平台管理接口

IPS(Intrusion Prevention System)　入侵预防系统

IPv4(Internet Protocol version 4)　互联网协议第 4 版

IPv6(Internet Protocol version 6)　互联网协议第 6 版

IS-IS(Intermediate System to Intermediate System)　中间系统到中间系统

IT(Information Technology)　信息技术

KVM(Keyboard Video Mouse)　多计算机切换器

MAC(Media Access Control)　介质访问控制

NAS(Network Attached Storage)　网络连接存储

OSPF(Open Shortest Path First)　开放式最短路径优先

OSS(Operation Support System)　运营支撑系统

PUE(Power Usage Effectiveness)　电能利用效率

RAID(Redundant Array of Independent Disk)　独立冗余磁盘阵列

SAN(Storage Area Network)　存储区域网络

SSL(Secure Sockets Layer)　套接字安全层

STP(Shielded Twisted Pair)　屏蔽双绞线

UPS(Uninterrupted Power Supply)　不间断电源

UTP(Unshielded Twisted Paired)　非屏蔽双绞线

VIP(Very Important Person)　重要用户

VLAN(Virtual Local Area Network)　虚拟局域网

VPN(Virtual Private Network)　虚拟专用网

3 互联网数据中心工程设计

3.1 业 务 功 能

3.1.1 IDC 应具备提供下列基本业务的功能：

1 VIP 机房出租。

2 主机托管。

3 机架出租。

4 服务器出租。

5 虚拟机出租。

6 带宽出租。

7 IP 地址出租。

3.1.2 IDC 具备提供附加业务的功能应符合下列规定：

1 安全防护类,可包括防火墙出租、VPN 接入、病毒防范、入侵检测、防 DDoS 攻击、流量清洗、网页防篡改、安全扫描、安全评估等。

2 数据存储类,可包括在线存储、在线备份、数据备份及异地备份等。

3 流量管理类,可包括负载均衡、SSL 加速、流量统计分析等。

4 维护管理类,可包括远程维护、设备代理监测、设备代理维护、虚拟机迁移等。

5 内容管理类,可包括网站镜像、网页加速、应用加速、内容分发等。

6 系统集成类,可包括设备安装和升级、网站设计与建设等。

3.1.3 IDC 可具备在线提供 IT 应用平台类能力租用服务的功能,可包括应用运行环境和中间件等。

3.1.4 IDC 可具备在线提供应用软件类租用服务的功能,可包括面向企业的 IT 应用等。

3.1.5 IDC 可具备提供 IT 系统外包服务的功能。

3.2 系 统 组 成

3.2.1 IDC 应由机房基础设施、网络系统、资源系统、业务系统、管理系统和安全系统等六大逻辑功能部分组成(图 3.2.1)。

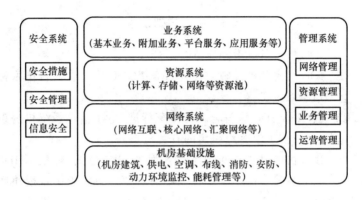

图 3.2.1 IDC 系统组成

3.3 IDC 分级

3.3.1 IDC 应根据运营需要分为不同级别,不同级别对外可在可靠性、绿色节能、安全性、服务质量和服务水平等方面予以区别,对内可在各系统技术要求方面有所区别。

3.3.2 IDC 机房可划分为 R1、R2、R3 三个级别,各级 IDC 机房应符合下列规定:

　　1 R1 级 IDC 机房的机房基础设施和网络系统的主要部分应具备一定的冗余能力,机房基础设施和网络系统可支撑的 IDC 业务的可用性不应小于 99.5%。

　　2 R2 级 IDC 机房的机房基础设施和网络系统应具备冗余能力,机房基础设施和网络系统可支撑的 IDC 业务的可用性不应小于 99.9％。

3 R3 级 IDC 机房的机房基础设施和网络系统应具备容错能力，机房基础设施和网络系统可支撑的 IDC 业务的可用性不应小于 99.99％。

3.3.3 IDC 内可根据业务需求设置不同级别的 IDC 机房模块，各级 IDC 机房模块的面积比例应根据业务需求预测确定。

3.4 机房基础设施

3.4.1 IDC 机房基础设施应符合下列规定：

1 IDC 机房基础设施的设计，R3 级 IDC 应符合现行国家标准《电子信息系统机房设计规范》GB 50174 中 A 级机房的有关规定，R2 级、R1 级 IDC 应符合现行国家标准《电子信息系统机房设计规范》GB 50174 中 B 级机房的有关规定。

2 IDC 机房基础设施宜采用模块化设计方式，可根据 IDC 规模大小、业务发展的不确定性和扩展性要求等因素确定模块颗粒度，并合理进行模块内子系统的关联组合集成。一个模块内应提供同一分级性能。

3 IDC 机房基础设施各组成系统的配置宜根据可靠性要求、维护要求等因素确定，可靠性要求宜根据 IDC 机房分级和业务需求进行可靠性指标分配得出。

3.4.2 IDC 机房应符合下列规定：

1 IDC 机房选址应符合下列规定：

  1）应利于 IDC 业务发展；

  2）所在地点应安全可靠，地质条件好，远离自然灾害和可能的人为灾害；

  3）所在地点的自然环境应清洁，无强污染源、强放射源、强震动源；

  4）交通通信应方便、配套设施应齐全；

  5）采用水蒸发冷却方式制冷的数据中心，所在地点应有充

6）所在地点市电引入条件应能满足 IDC 用电需求；

　7）所在地点应具备能够满足容量需求的传输网络资源，R3级 IDC 应具备两条或以上的出局光缆路由；

　8）新建规模大于或等于 10000 个机架的超大型数据中心，应重点考虑气候环境、能源供给，宜选址在一类地区建设，也可在二类地区建设。新建规模大于或等于 3000 个机架小于 10000 个机架的大型数据中心，应重点考虑气候环境、能源供给，宜选址在一类或二类地区建设，也可在三类地区建设。新建规模小于 3000 个机架的中小型数据中心，宜重点考虑市场需求、能源供给，可选址在靠近用户、能源获取便利的地区。

　2　新建 IDC 机房建筑的耐久年限和耐火等级应符合表 3.4.2 的规定。

表 3.4.2　机房耐久年限和耐火等级

IDC 机房级别	R3	R2	R1
耐久年限	50 年以上	50 年以上	50 年
耐火等级	不低于二级	不低于二级	不低于二级

　3　IDC 机房功能区域划分应符合下列规定：

　1）IDC 机房功能区域可划分为主机房区、支持区和辅助区；

　2）主机房区可包括网络系统机房区、资源系统机房区、管理系统及安全系统机房区、出租（托管）业务机房区等。出租（托管）业务机房区可根据业务需求进一步分割，分为一般用户区、VIP 用户区等，主机房区中的不同功能区域可是一个独立的机房也可是隔离下的独立分区；

　3）支持区应包括高低压变配电室、柴油发电机房、电力电池室、空调机房、消防设施用房、消防和安防控制室、进线室等。电力电池室宜与主机房区毗邻；

　4）辅助区可包括客户维护操作区、客户接待区、客户休息区、业务参观及展示区域、会议室、库房、门厅、值班室、更衣间、卫生间等,应根据业务需求设置。

4 新建 IDC 机房的面积应根据业务需求及发展规划合理确定,宜建设集中化大容量 IDC。IDC 有效面积利用率不宜小于75%,支持区使用面积应与主机房区面积配比协调,辅助区使用面积占主机房区使用面积的比例不宜超过 15%。

5 IDC 机房各功能区域的地面均布活荷载要求应按使用需求和设备摆放方式确定,设计采用的标准值除应满足当期需要外,尚应适当考虑发展需求。无特殊要求时,宜按主机房区楼面等效均布活荷载大于或等于 $10kN/m^2$、电力电池室楼面等效均布活荷载大于或等于 $16kN/m^2$ 设计。

6 IDC 主机房区梁下净高应根据机房面积、机架高度、空调及通风要求确定,不宜小于 3400mm。

7 IDC 主机房区设置在二楼或二楼以上时,应有载货电梯到达主机房区所在楼层,载货电梯核定载重量不应小于 2000kg、轿厢净尺寸不宜小于 2500mm×1500mm×2600mm(高度×宽度×深度)。应根据需求确定是否设置载客电梯。

8 IDC 主机房区内部各类设备的布局,在预留发展空间的前提下,应相对集中。主机房宜采用矩形。一个保护区内的主机房不宜做隔断,有分隔需求时应使用通透式钢笼隔断,通透式钢笼隔断设置不应影响机房的消防疏散。

9 R3 级和 R2 级 IDC 的进楼光(电)缆应从两个及以上不同方向进入光(电)缆进线室。进楼管道应按 IDC 终期容量一次建成,分期使用,宜预留备用管孔。

10 改造的 IDC 机房应综合考虑结构承载能力、抗震性能、供电、防火、层高、设备安装和输送空间等因素。

11 IDC 机房在满足业务需求的前提下,应因地制宜综合采取各种节能措施,并符合下列规定:

1)IDC 机房应符合现行国家标准《公共建筑节能设计标准》

GB 50189 的有关规定；

2）IDC 主机房区和支持区所在机房不宜设外窗；

3）在符合本规范第 3.4.2 条第 6 款规定的前提下，宜降低 IDC 机房层高。

3.4.3 IDC 机架要求应符合下列规定：

1 IDC 主机房内的设备机架的外形尺寸宜采用 2200mm×600mm×1000mm（高度×宽度×深度）。特殊需要时，其尺寸变动范围高度宜为 2000mm～2200mm，宽度宜为 600mm～900mm，深度宜为 900mm～1300mm。

2 IDC 主机房内支持的设备机架平均运行功率宜根据业务需求按表 3.4.3 的规定选用。

表 3.4.3 单机架平均运行功率

类　别	高功率机架	中功率机架	低功率机架
单机架平均运行功率 （kW/架）	＞6	大于 3 且 小于或等于 6	≤3

注：IDC 机房可按机架运行功率不同分区布置，同一 IDC 机房模块宜设计选用相同机架平均运行功率。机架应按设计运行功率加载设备。

3 R3 级和 R2 级 IDC 主机房内每个机架的架内应配置两路电源分配模块。

4 机架内不应设置普通电源插座，设备不应跨机架取电。

5 在机架上或在列头配电柜上宜设置能耗统计仪表。

6 机架应设有接地点，并应配置供设备接地用的接地汇流排。

7 根据机房气流组织方式，机架可采用通透式机架或半封闭式机架，应符合下列规定：

1）通透式机架的前、后门开孔率均不应低于 60%。在安全隔离允许时，可采用前后均无柜门的开架式机架。

2）半封闭式机架内的冷空气通道应充分保证制冷效果，应根据风速和机架散热所需风量计算确定进风口面积，进风口面积宜可调,后门开孔率不应低于60%。

8 同一IDC机房模块内机架宜采用统一颜色,机架前后门样式宜统一。各列机架高度、同一列机架宽度和深度宜统一。对于非标准机架,宜设置非标准区域放置。

9 宽度等于600mm的机架,宜采用单开门方式;宽度大于600mm的机架,宜采用双开门方式。

10 机架内应采用集成布线通道。通信线和电源线宜布设在机架上方并应存储在机架背面。缆线管理应避免电源线和通信线妨碍排出气流。

11 成行排列的机架,其长度超过6m时,两端应设有走道;当两个走道之间的距离超过15m时,其间还应增加走道。主走道的宽度不宜小于1.5m,次走道的宽度不宜小于1m。

3.4.4 IDC机房供电系统设计应符合下列规定:

1 IDC各用电设备应根据用电中断对IDC运行的影响及分级需求、用户需求确定负荷用电保证方式,可选择下列方式:

1)用电设备双回路供电,市电停电时由自备发电机保证,且同时提供不间断电源保证;

2)用电设备双回路供电,市电停电时由自备发电机保证,不提供不间断电源保证;

3)用电设备单回路供电,市电停电时由自备发电机保证;

4)用电设备单回路或双回路供电,市电停电后提供不间断电源供电。

2 IDC外市电引入应符合下列规定:

1)R3级IDC的外市电应采用一类市电引入,R2级IDC的外市电宜采用一类市电引入,R1级IDC的外市电不宜低于二类市电;

2)外市电引入应优选从公共变电站引接,当IDC用电容量超过允许引接公共变电站的最大容量时,可建设66kV(110kV)自用变电站;

3）供电条件具备时,大型 IDC 可采用高市电电压等级。

3 IDC 自备发电机供电系统配置应符合下列规定:

1）各级 IDC 机房的自备发电机组配置应符合表 3.4.4-1 的规定。

表 3.4.4-1　自备发电机组配置

IDC 机房级别	R3	R2	R1
自备发电机组配置要求	配备自备发电机组,$N+X(X:0$ 或 1)	外市电为一路电源供电时,应配备自备发电机组:N	市电质量允许时,可不配备自备发电机组

2）高压或低压自备发电机组的选用应结合 IDC 平面规划、建设规划、建筑负荷电压等级等多方面因素确定。

3）建设 66kV(110kV)专用变电站的数据中心,不同用电区域之间可共享发电机组。

4 IDC 变压器配置应符合表 3.4.4-2 的规定。

表 3.4.4-2　变压器配置

IDC 机房级别	R3	R2	R1
变压器配置要求	应按 $2N$	宜按 $2N$	宜按 $N+1$
最大负载率要求	宜按 90% 负载率设计,正常运行时每台变压器带载率为 45%	宜按 90% 负载率设计,正常运行时每台变压器带载率为 45%	当其中 1 台退出时,剩余每台带载率不应超过额定容量的 90%

5 IDC 主机房内安装的 IDC 网络系统、资源系统、业务系统、管理系统和安全系统的所有设备的供电应符合下列规定:

1）供电模式可分为集中安装集中供电、集中安装分散供电、半分散安装分散供电和全分散供电等模式。小型 IDC 机房可采用集中安装集中供电模式,大、中型 IDC 机房宜根据情况选用各种分散供电模式。

2）供电类型可选用交流供电、－48V 直流供电和高压直流供电。IDC 自行配置的设备宜采用－48V 直流供电或高压直流供电。IDC 用户托管设备应根据用户需求确定供电类型。

3) 交流供电 UPS 的配置应符合表 3.4.4-3 的规定。

表 3.4.4-3　UPS 配置

IDC 机房级别	R3	R2	R1
UPS 配置	$2N$ 双总线或 $3N$ 双总线	$N+X$ 冗余$(X=1\sim N)$或 $3N$ 双总线	$N+1$
最大负载率要求	$2N$ 双总线系统:正常运行时,每套 UPS 系统的负载率不应超过额定容量的 45%; $3N$ 双总线系统:正常运行时,每套 UPS 系统的负载率不应超过额定容量的 60%	$N+X$ 系统:当其中 X 台 UPS 退出时,剩余 UPS 的负载率不应超过额定容量的 90%; $3N$ 双总线系统:正常运行时,每套 UPS 系统的负载率不应超过额定容量的 60%	当其中 1 台 UPS 退出时,剩余 UPS 的负载率不应超过额定容量的 90%

注:UPS 电池备用时间不宜小于 10min。

4) R3、R2 级别 IDC 机房从不间断电源输出侧到设备机架,全程应提供双路电源,采用双路输出,分区域供电。

6　IDC 机房供电系统应综合采取各种节能措施,应符合下列规定:

1) 应采用高效、节能供电设备;

2) 变压器、UPS 等电源设备宜深入到负荷中心,合理选择线路路径;

3) 宜进行无功补偿优化,对于谐波较严重的宜进行谐波治理;

4) 供电质量允许时,UPS 宜采用经济运行模式;

5) 宜选用 336V、240V 直流电源系统。

3.4.5　IDC 机房空调应符合下列规定:

1 IDC 机房的主机房区、辅助区和支持区的电力电池室、消防和安防控制室等应设置空调系统。各区域空气环境要求不同时,宜分别设置空调系统。

2 IDC 主机房区的温度、相对湿度应满足机房内设备的使用要求。无特殊要求时,宜按机架进风温度 $18℃\sim27℃$、露点温度 $5.5℃\sim15℃$、相对湿度 $40\%\sim70\%$、不得结露进行设计,当设备要求允许时,相对湿度可为 $20\%\sim80\%$。

3 IDC 主机房内的设备散热应以设备运行功率为基数乘以设备散热系数计算,设备运行功率未知时可按本规范第 3.4.3 条第 2 款的选用情况进行计算。设计中应对空气调节区进行逐项逐时的冷负荷计算,并按照各项逐时冷负荷的综合最大值确定。

4 IDC 机房空调系统宜设置独立的空调机房,机房宜靠近 IDC 主机房。水冷空调末端宜布置在由实体墙围合成的空调机房内,空调机房地面应做防水处理并应设有排水措施,供回水管不宜穿越主机房。场地受限时,风冷恒温恒湿空调系统室内机可直接安装在主机房内,安装时应采取防止空调冷凝水和加湿水泄漏的措施;室外机安装在室外机平台,室外机平台宜直接在外设置,宜靠近空调室内机。

5 IDC 主机房区的空调系统配置应符合表 3.4.5 的规定。

表 3.4.5 空调系统配置

IDC 机房级别	R3	R2	R1	备注
空调末端	$N+X$ 冗余 ($X=1\sim N$)	$N+X$ 冗余 ($X=1\sim N$)	$N+1$	—
制冷主机和水泵、冷却塔等主设备	$N+X$ ($X=1\sim N$)	$N+X$ ($X=1\sim N$)	$N+1$	只适用于中央空调系统
冷冻水管、冷却水管系统	双回路	双回路	单回路	只适用于中央空调系统

注:IDC 主机房空调设备(含制冷主机、冷却塔、水泵、空调末端等)的配置数量 N 应计算确定,并宜按大于或等于总冷量的 $15\%\sim20\%$ 设置备用。

6 IDC 主机房区的气流组织应符合下列规定：

1) IDC 主机房应通过采用"面对面、背对背"的机架排列方式形成冷通道和热通道，相邻两列设备的吸风面（正面）安装在冷通道上，排风面（背面）安装在热通道上。中、高功率机架区可采用封闭冷通道或封闭热通道方式优化气流组织。

2) IDC 主机房宜采用下送风方式，选用下送风方式的机房专用空调，在机房内设置架空地板，地板高度应根据机房内单机架功率进行计算确定，不应小于 400mm。空调冷风在架空地板下可通过冷通道上设置的开孔地板（送风口）和机架前门进入机架内，空调回风口设置在热通道上；对于低功率机架区空调冷风也可通过半封闭式机架内的进风口送风。

3) 单机架平均运行功率大于 10kW 的局部机架区域，可在原有送风方式的基础上增设辅助制冷设备。

4) 单机架安装功率小于或等于 1.5kW 的机房，也可采用上送风方式，选用上送风方式的机房专用空调，布置上送风风管，空调送风口对应机架冷通道，回风口设置在热通道上。

5) 设备机架列间距应考虑工艺设备维护空间、用户安全隔离需求，还应根据机架装机功率的大小，合理选择列间距。当 IDC 主机房采用通透式机架时，冷通道间距应根据区域机架运行功率核算，宜为 1000mm～1800mm，热通道间距宜为 800mm～1200mm。当 IDC 主机房采用半封闭式机架时，机架列间距宜为 800mm～1200mm。

6) 空调送风最大距离不宜超过 15m。

7) 高功率机架区可使用列间级或机架级制冷方式。

7 IDC 机房的其他功能区域宜采用上送风的气流组织方式。

8 R3 级 IDC 机房在主要配置高功率机架时，宜采用蓄冷措施,蓄冷时间应满足电子信息设备的运行要求。

9 IDC机房空调应综合采取各种节能措施,应符合下列规定:

1）应采用高效、节能空调设备。

2）在满足设备运行要求的前提下,宜提高机房环境温度设定值。

3）根据IDC所在地气候特点,宜选择直接引入式新风系统、隔离式热交换系统或带自然冷却盘管的机房专用空调设备,利用室外低温空气对机房降温。

4）根据IDC所在地气候特点,宜在过渡季节及冬季利用冷却塔向集中式空调系统供冷,减少制冷机运行时间。

5）采用直接引入式新风系统时应采用变风量运行方式。夏季在满足需求时,宜减少新风量,降低空调负荷。在过渡季节以及冬季宜提高新风量,减少制冷系统运行时间。

6）直接蒸发式机房专用空调系统应满足风冷冷凝器或干冷器散热要求,风冷冷凝器或干冷器的进风方向宜保证有大于或等于0.6m的进风通道,出风方向宜保证有大于或等于4m的出风通道,风冷冷凝器或干冷器之间距离不宜小于1.2m。风冷冷凝器或干冷器宜布置在避免阳光直射的位置或在其上方安装通风遮阳棚,室外空气质量较好、水资源丰富的地区可采用雾化冷却装置强化风冷冷凝器或干冷器散热。

7）可采用空调群控技术。

3.4.6 IDC机房综合布线应符合下列规定:

1 IDC各机房（区）应根据功能要求划分成若干布线区域,应包括网络接入间（区）、主配线区域、水平配线区域、区域配线区域和设备配线区域。

2 应根据配线需求合理配置列配线柜和总配线柜。

3 R3级IDC机房应配置冗余的网络接入间（区）和主配线

区域。

4 IDC 主机房区配线子系统的信息点规模应根据 IDC 自有系统以及出租或托管业务机房(区)的业务规模确定。机架内配置各类接入交换机时,单机架的信息点数量宜为 4 个~8 个;机架内未配置各类接入交换机时,出租或托管业务机房(区)的单机架信息点数量根据机架装机功率不同宜为 16 个~32 个。

5 机房线缆布放应采用上走线方式,线缆布放时应采用走线架,走线架宜选择开放式线架,宜设置 2 层走线架。走线架应整体规划,整体走线架设施不应影响机房空调气流组织。

3.4.7 IDC 的机房智能化应符合下列规定:

1 IDC 机房应设置由视频安防监控系统、入侵报警系统和出入口控制系统组成的安全防范系统。各系统的设计应符合现行国家标准《安全防范工程技术规范》GB 50348、《入侵报警系统工程设计规范》GB 50394、《视频安防监控系统工程设计规范》GB 50395、《出入口控制系统工程设计规范》GB 50396 和《智能建筑设计标准》GB/T 50314 的有关规定。

2 根据用户需求,重要机架可单独设置摄像机监视。

3 IDC 应设置机房动力环境监控系统,监控内容宜包括重要电力供电回路的开关状态、故障、电流和电压等参数,变压器、发电机机组的运行状态,空调机组的运行状况和参数,通信电源设备的运行状况、故障和参数,蓄电池电压、充放电电流、电池温度,机房温湿度,机房漏水报警,机房列头柜总路和支路的开关状态、故障、电流、电压、功率和电度等参数等。

3.5 网 络 系 统

3.5.1 IDC 网络系统结构设计应符合下列规定:

1 IDC 网络系统架构应采用层次化、模块化设计方式,整个网络可分为互联网接入层、汇聚层、业务接入层和运维管理层四层(图 3.5.1)。各层网络应符合下列规定:

1）互联网接入层应配置核心路由器或核心交换机实现与互联网的互联,对 IDC 内网和外网的路由信息进行转换和维护,并应连接汇聚层的各汇聚交换机,形成 IDC 的网络核心;

2）汇聚层应配置汇聚交换机实现向下汇聚业务接入层各业务区的接入交换机,向上与核心路由器(核心交换机)互联;

3）业务接入层应通过接入交换机接入各业务区内部的各种网络设备、服务器设备、存储设备等设备;

4）运维管理层宜独立成网,与 IDC 业务网络进行隔离,通过运维管理层的接入及汇聚交换机连接管理系统各种设备;

5）IDC 规模较小时,互联网接入层和汇聚层可合设。

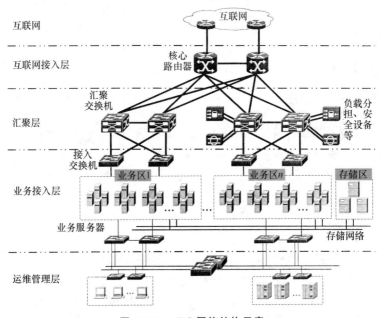

图 3.5.1　IDC 网络结构示意

2 IDC 网络结构中互联网接入层与外部互联网、互联网接入层与汇聚层、汇聚层与业务接入层之间的拓扑结构不应有单点故障,具体结构形式应匹配 IDC 流量流向特性。

3 互联网接入层应至少配置两台核心路由器或核心交换机,R3 级 IDC 的多台核心路由器(核心交换机)宜设置在不同的机房区域,核心路由器(核心交换机)与互联网连接应符合表 3.5.1 的规定。

表 3.5.1　核心路由器与互联网连接

IDC 机房级别	R3	R2	R1
核心路由器(核心交换机)与互联网连接	宜与同一运营商互联网 2 个不同的省际骨干网核心汇接节点连接,或与 2 个不同运营商骨干节点连接	宜与互联网省际骨干网核心汇接节点或省内核心汇接节点连接,至少与 1 个节点的两台不同设备连接,或者与 2 个不同节点连接	宜与互联网骨干网节点或与城域网出口节点连接,至少与 1 个节点的两台不同设备连接
连接带宽	应根据业务需求估算确定,不宜小于 2×10Gbps	应根据业务需求估算确定,不宜小于 2×10Gbps	应根据业务需求估算确定,不宜小于 2×2.5Gbps

4 根据业务需求,防火墙、负载均衡器、IDS、IPS、审计系统等安全设备和流量管理设备可设置在汇聚层,大客户或重点业务用户可直接接入汇聚交换机。

5 业务接入层应采用模块化设计,进行区域划分。根据业务经营者提供的业务种类,宜将业务接入层从逻辑上分为不同的业务网络区域,可包括主机托管区、主机租用区、VIP 用户区、集团用户区、增值业务区等。

6 各层网络的带宽、汇聚交换机和接入交换机的数量收敛配比、接入交换机连接的业务服务器数量应根据业务需求计算确定。

7 运维管理层应进行区域划分,可包括客户操作区、客户远程接入区、管理系统区。有管理需要时运维管理层可设置接入

DMZ 区,配置 VPN 接入网关和防火墙接入互联网。

3.5.2 IDC 网络系统的路由设计应符合下列规定:

1 IDC 可作为一个单独的自治域,采用 BGP 协议与互联网连接,也可不作为单独自治域,采用 OSPF 协议或 IS-IS 协议与互联网连接。

2 IDC 与互联网的多个连接可设计成主备或流量分担的路由策略。互联网接入层核心路由器(核心交换机)应对内部路由信息适当聚合后向互联网发布,聚合时可实现对路由策略的配合实施。互联网接入层核心路由器(核心交换机)宜向 IDC 内部网络发布默认路由信息,不宜发布来自互联网的具体路由信息。

3 IDC 内部网络路由可设计成二(三)层混合方式或大二层方式,应符合下列规定:

　　1)采用二(三)层混合方式时,IDC 内部路由协议宜选择 OSPF。宜采用 OSPF 双层次多区域配置方式,互联网接入层宜选用核心路由器并可组成骨干 OSPF 区域,汇聚交换机可组成多个 OSPF 非骨干区域,汇聚交换机和接入交换机之间采用二层组网;

　　2)IDC 提供云计算服务时,宜采用扁平的大二层方式,互联网接入层可选用核心交换机,核心交换机、汇聚交换机和接入交换机之间全部采用二层组网。

3.5.3 在 IDC 经营者建设有多个 IDC 时,根据业务需求,不同局址的 IDC 之间可进行二层网络互联。

3.6　资　源　系　统

3.6.1 资源系统为 IDC 提供资源要素,应包括物理资源和逻辑资源,可分为网络资源、计算资源、存储资源、软件能力资源和软件应用资源等。

3.6.2 网络资源宜包括 IP 地址、网络带宽、防火墙、负载均衡、流量处理等与网络相关的资源。IDC 宜通过在业务接入层划分

VLAN 网络,并可通过配置虚拟交换机、虚拟防火墙等设备形成为用户服务的网络资源池。

3.6.3 计算资源宜包括物理主机、虚拟机等资源。IDC 可在业务接入层配置业务服务器等设备,形成为用户服务的物理主机计算资源池;可配置业务服务器及虚拟化软件,形成为用户服务的虚拟机计算资源池。

3.6.4 存储资源宜包括存储设备、块存储系统、文件存储系统、对象存储系统和表存储系统等资源。IDC 可在业务接入层建设 SAN、NAS、云存储等存储系统,支持结构化或者非结构化的数据操作管理能力,形成为用户服务的存储资源池。

3.6.5 IDC 可根据经营者的业务规划,通过配置中间件、应用平台和应用软件等,以多租户方式向多个用户提供服务,形成软件能力资源池和软件应用资源池。

3.6.6 IDC 应在管理系统支持下,抽象物理资源、封装逻辑资源,实现资源的模板化按需分配和动态调度。

3.7 业 务 系 统

3.7.1 基于机房基础设施、网络系统、资源系统、管理系统和安全系统提供的各种原子服务,IDC 应能向用户提供基本业务和可选的附加业务,提供平台服务和应用服务。

3.7.2 IDC 的业务系统应具备提供分级服务的能力。

3.7.3 在 IDC 经营者建设有多个 IDC 时,各个 IDC 可通过广域网联网,通过跨数据中心二层网络互联技术或 CDN 技术等实现业务内容合理分布和共享。

3.8 管 理 系 统

3.8.1 IDC 管理系统的设置应符合下列规定:

    1 IDC 管理系统可统一纳入经营者的 BSS、OSS 系统中,也可单独设置。

2 IDC 管理系统应在 IDC 网络的运维管理层中设置管理用采集服务器设备或代理服务器设备。运维管理层可通过专线或 VPN 与经营者的 BSS(OSS)系统连接。

3 IDC 宜配置基于 IP 的 KVM 系统。

4 根据需求,IDC 可配置基于 IPMI 接口的服务器硬件管理系统。

3.8.2 IDC 管理系统实现网络管理功能应符合下列规定:

1 网管管理的对象应包括 IDC 内自有 IT 设备、物理设备虚拟化形成的虚拟机以及提供代理维护附加业务的用户设备。

2 网络管理功能可包括设备管理、拓扑管理、配置管理、性能管理、故障管理和统计报表等功能。

3 设备管理宜与被管设备的管理接口相连,可支持设备的带内管理和带外管理方式,提供对各设备基本配置信息的管理。

4 拓扑管理实现功能宜包括下列内容:

1)支持网络拓扑的自动发现、动态刷新;

2)提供多视图管理,支持用户自定义视图;

3)定时进行网络设备轮循监视和状态刷新;

4)支持拓扑过滤,支持快速查找拓扑对象,并在导航树和拓扑视图中定位。

5 性能管理实现功能宜包括下列内容:

1)对被管对象持续进行性能监控、性能参数采集和存储;

2)进行性能分析。

6 故障管理实现功能宜包括下列内容:

1)提供事件分级功能,支持故障事件处理,提供故障处理知识库;

2)支持多种告警方式,支持告警拓扑的直观呈现及定位;

3)支持故障查询,支持告警溯源,实现 MAC 地址端口反查和 IP 地址端口反查;

4)支持性能告警。

7 统计报表实现功能宜包括下列内容：

    1）提供各管理对象的性能统计报表；

    2）提供各管理对象的故障统计报表、故障处理报表；

    3）支持报表数据分析。

3.8.3 IDC 管理系统实现资源管理功能应符合下列规定：

    1 资源管理应支持对空间位置资源、IP 地址及带宽资源、存储空间资源、设备资源、应用资源、虚拟基础架构等的管理，应实现资源的日常管理、统计、核对。

    2 空间位置资源管理实现功能可包括下列内容：

    1）建立、修改、删除机房相关信息；

    2）建立、修改、删除机架、机位相关信息。

    3 IP 地址及带宽资源管理实现功能宜包括下列内容：

    1）可记录各业务所涉及设备占用或释放的资源信息；

    2）宜支持对总带宽、已分配带宽、可分配带宽的管理；

    3）宜支持 IP 地址资源的自动监控报警功能。

    4 设备资源管理宜实现对设备标识号、类型、名称、性质、型号、尺寸、重量、耗电量、发热量、散热方向、技术指标、安装存放、归属或使用用户等信息的管理。

    5 存储空间资源管理宜支持对出租划分出的各种等级存储空间的管理。

    6 应用资源管理宜实现对应用类型、应用环境、应用信息、应用使用的接口、应用使用的系统软件资源和硬件资源、用户等信息的管理。

    7 虚拟化资源池管理宜实现对虚拟网络资源、虚拟计算资源、虚拟存储资源、虚拟应用资源等资源池的生命周期管理和资源调度，实现多种业务需要的调度算法、资源用量监控。

    8 宜与环境、设备监控及能源管理系统通过接口互联。

3.8.4 IDC 管理系统实现业务管理功能应符合下列规定：

    1 业务管理应实现 IDC 的服务管理和产品管理。

2 服务管理宜实现对 IDC 服务所包含的所需资源、服务级别、服务承诺、名称、描述和状态等信息的建立、修改、查询、统计等功能。

3 产品管理宜实现对 IDC 产品所包含的名称、描述、状态、所包含服务种类等信息的建立、修改、查询、统计等功能。

3.8.5 IDC 管理系统实现运营管理功能应符合下列规定：

1 运营管理应提供业务运营、密码管理、权限管理、客户管理、统计分析等功能。

2 业务运营实现功能宜包括下列内容：

　　1）实现 IDC 业务的开通、变更和终止；

　　2）通过工作流系统实现 IDC 业务所需的资源分配、施工和验收；

　　3）支持工单查询和统计。

3 密码管理实现功能宜包括下列内容：

　　1）支持密码基本信息管理和密码生命周期管理；

　　2）通过工作流系统实现密码的申请、批准、分配的过程管理。

4 权限管理实现功能宜包括下列内容：

　　1）实现用户级别和权限管理；

　　2）实现访问控制功能；

　　3）提供安全日志，支持审计功能。

5 客户管理实现功能宜包括下列内容：

　　1）实现客户服务；

　　2）实现客户信息管理；

　　3）实现订购关系信息管理；

　　4）支持客户关系管理。

6 统计分析实现功能宜包括下列内容：

　　1）支持按客户进行统计分析；

　　2）支持按业务进行统计分析。

3.8.6 IDC 的 KVM 系统宜实现对业务服务器设备、网络设备进行监控、远程管理和故障紧急处理等。

3.8.7 IDC 的服务器硬件管理系统宜实现对业务服务器设备通过 IPMI 接口实现开机、关机、访问系统事件日志、故障日志记录、系统设置等功能。

3.9 安 全

3.9.1 IDC 应在合理的安全成本基础上，保护 IDC 的信息资产，实现 IDC 网络运行安全和业务安全，保证各类设备的正常运行，并应根据安全策略控制出入网络的信息流，保障网络的运营维护管理安全。

3.9.2 IDC 应对整个系统进行安全域划分，各个安全域应根据安全需求确定不同的安全级别、制定不同的安全策略。

3.9.3 IDC 采用安全技术措施应符合下列规定：

   1 IDC 的 IT 设备应进行安全加固。

   2 IDC 应能防范 DDoS 攻击，R3 级和 R2 级 IDC 宜在 IDC 出入口部署异常流量检测和清洗设备。

   3 IDC 应配置恶意代码、病毒防范系统，实现对 IDC 自有设备进行统一管理，并应具备对有需求的用户设备进行恶意代码、病毒防范管理的能力。

   4 IDC 宜配置网页防篡改系统，实现防范服务器上的网站页面被非法篡改，并应在页面遭受非法篡改后能够自动屏蔽非法网页以及进行页面的自动恢复。

   5 IDC 运维管理层和被管系统的接口处宜配置安全控制网关，宜实现基于用户名、用户域名的网络权限精确管理，宜实现用户访问日志的记录、支持多种口令的认证，宜实现用户终端审计和用户行为审计。

   6 IDC 应提供安全可靠的 VPN 接入手段。

   7 IDC 提供虚拟机服务时，应实现虚拟机的安全管控。

8 IDC 提供多租户应用服务时,应实现应用隔离。

9 IDC 业务系统宜采用多因素、动态口令认证方式实现用户访问业务的认证与授权。

10 IDC 应保障数据安全,宜实现数据安全隔离、数据访问控制、数据加密存储和加密传输、数据备份与恢复、进行剩余信息保护。

3.9.4 IDC 应设置安全管理系统或与经营者的其他安全管理系统合设实现安全管理功能,并应具备向用户提供安全防护类附加业务的能力,按本规范第 3.9.3 条规定配置的安全设备宜纳入 IDC 安全管理系统进行集中、统一管理。

3.9.5 IDC 实现信息安全管理功能应包括下列内容:

1 IDC 基础数据信息安全管理功能,实现对 IDC 机房信息、IDC 互联网出入口信息、IP 地址段信息、IDC 用户信息和应用服务信息的管理。

2 IP 地址异常监测功能。

3 访问日志管理功能。

4 网站管理功能。

5 有害信息监测发现、过滤功能。

6 信息安全管理接口功能。

3.10 计　　费

3.10.1 IDC 计费应支持资源占用、能力占用、服务使用、业务交易量及其组合等模式。

3.10.2 IDC 应支持灵活的计费类型,支持不同时间段、折扣、套餐等类型。

3.10.3 IDC 计费功能的实现宜与经营者的 BSS 系统统一考虑,IDC 管理系统应提供原始计费信息。

3.10.4 IDC 的计费记录在线存储不应短于 3 个月,离线存储不宜短于 6 个月。

3.11 码号与地址

3.11.1 IDC 的 IP 地址应合理规划、分配，应能便于应用监测、地址聚合和访问控制。

3.11.2 IDC 应具备以双协议栈方式同时支持 IPv4 和 IPv6 的能力。

3.11.3 IDC 的 VLAN 号码应合理规划、分配。

3.11.4 IDC 的用户应合理编码，编码规则应便于计费结算和管理，符合有关管理规定。

3.11.5 IDC 自有设备和托管设备应进行合理编码，编码规则应便于维护管理，符合有关管理规定。

3.12 网络服务质量

3.12.1 IDC 宜符合表 3.12.1 规定的网络服务质量要求。

表 3.12.1 IDC 网络服务质量要求

IDC 机房级别	R3	R2	R1
网络系统可用性	≥99.999%	≥99.99%	≥99.9%
网络时延，从 IDC 用户设备接入端口到互联网接入节点下联端口，ping 测试包大小为 512 字节	≤1ms	≤3ms	≤5ms
网络丢包率，从 IDC 用户设备接入端口到互联网接入节点下联端口，ping 测试包大小为 512 字节	≤0.001%	≤0.001%	≤0.01%

3.12.2 IDC 应具备向用户提供不同产品分级服务质量的能力。

3.13 能　耗

3.13.1 IDC 应采取充分的节能设计，采用高效节能设备和系统方案，新建 IDC 在年测量周期内的 PUE 平均值不宜大于 1.6，改建、扩建 IDC 在年测量周期内的 PUE 平均值不宜大于 1.8。

3.13.2 IDC 应设置能源管理系统,宜包括下列功能:

　　1 设置 IDC 总用电量计量表及业务设备总用电量计量表,实现 PUE 值的实时测量显示及累计平均测量显示。

　　2 实现对 IDC 主机房内机架及 IDC 用户的能耗管理。

　　3 对 IDC 各种设备的能耗进行综合管理。

3.14 设 备 配 置

3.14.1 IDC 各种设备应本着性能稳定、安全可靠、技术先进、能耗低、兼容性好、经济合理、扩展性强等原则进行配置,近期建设规模与远期发展规划应协调一致。

3.14.2 IDC 中采用的各种设备应符合有关的设备技术要求。

3.14.3 IDC 中的关键设备应具有高可靠性,重要部件负载分担、关键部件热备份,具有故障时自动切换功能。

3.14.4 IDC 机房基础设施的设备配置应具备能够扩展到支持 IDC 终期规模的能力。

3.14.5 IDC 中采用的各种 IT 设备应符合下列规定:

　　1 网络设备宜具备线速转发能力,应具有良好的突发流量缓存及调度能力,支持优先级控制。

　　2 服务器设备应支持动态节能技术,宜采用机架式服务器或刀片式服务器,也可采用定制化设备。

　　3 设备具备能耗管理功能宜包括下列内容:

　　　1)高温报警功能;

　　　2)能源监控及管理功能;

　　　3)通过命令行或网管工具远程关闭设备部分模块或功能,或进入微电状态的功能;

　　　4)根据实际情况动态调整风扇转速的功能。

　　4 设备宜具有根据用户需求和不同应用场合配置交流或直流供电的选择。

5 设备内部应有合理的气流组织。

6 IDC 中采用的网络设备、服务器设备、存储设备和有关系统软件、应用软件宜支持虚拟化功能。

3.15 环 保

3.15.1 IDC 应进行噪声控制,应符合下列规定:

1 空调室外机平台或冷却塔位置应远离居民住宅。

2 IDC 发电机组用房应采取噪声排放控制措施。

3 IDC 噪声排放应符合现行国家标准《声环境质量标准》GB 3096 的有关规定。

4 空调室内机应选用高效率、低噪声设备,距机组 1m 处自由空间声压级低于 75dB。

3.15.2 IDC 采用的设备环保与包装应符合下列规定:

1 设备的主要部分应减少铅、镉、汞、六价铬和溴化阻燃剂等有害物质。

2 应采用用量最少的适度包装,包装材料对人体和生物应无毒无害,包装应易于重复利用或易于回收再生,包装废弃物可以降解腐化。

4 互联网数据中心工程施工

4.1 施 工 组 织

4.1.1 IDC 工程可分为机房基础设施工程和 IT 设备系统工程两类分部工程组织实施。

4.1.2 机房基础设施工程可进一步划分为机房工程、机架安装工程、消防系统工程、电源系统工程、空调系统工程、综合布线系统工程、安全防范系统工程、动力环境监控系统工程和能源管理系统工程等。

4.2 机架及 IT 设备系统的施工前准备

4.2.1 在 IDC 机架安装和 IT 设备系统安装工程施工开始以前，应对机房的环境条件进行全面检查，并应符合下列规定：

　　1 机房建筑应符合现行国家标准《建筑设计防火规范》GB 50016 的有关规定。

　　2 机房及有关走廊等地段的土建工程应已全部竣工，机房主要出、入门的高度和宽度尺寸应符合工艺设计要求。

　　3 机房照明、插座的数量和容量应符合配置要求，安装工艺良好，满足使用要求。

　　4 机房基础设施中的电源、空调、安防等工程应施工完毕，具备使用条件，满足设备系统安装、调测施工要求。

4.2.2 施工开始以前必须对机房的安全条件进行全面检查，应符合下列规定：

　　1 机房内必须配备有效的灭火消防器材，机房基础设施中的消防系统工程应施工完毕，并应具备保持性能良好，满足 IT 设备系统安装、调测施工要求的使用条件。

2 楼板预留孔洞应配置非燃烧材料的安全盖板,已用的电缆走线孔洞应用非燃烧材料封堵。

3 机房内严禁存放易燃、易爆等危险物品。

4 机房内不同电压的电源设备、电源插座应有明显区别标志。

4.2.3 施工开始以前应进行施工准备工作,应包括下列内容:

1 勘查现场,制订施工方案。

2 施工人员熟悉施工图纸及相关资料,包括工程特点、施工方案、工艺要求、施工质量及验收标准。

3 制订工程保障措施。

4 准备施工工具。

5 将设备、器材搬运到施工现场,并进行清点、分类。

4.2.4 施工开始以前应对设备、材料进行检验,并应符合下列规定:

1 开箱时不得损坏设备、器材。设备名称、型号、规格、数量、产地应符合设计和工程合同要求,外观应完好无损,技术资料及配件应齐全,并应有出厂合格证。进口产品尚应提供原产地证明、商检证明、质量合格证明、检测报告及安装、使用、维护说明书等文件资料。

2 有源设备应逐个通电检测。检测内容应包括安全性、可靠性及电磁兼容性等项目。

3 软件产品质量检查应包括下列内容:

1)使用许可证及使用范围的检查;

2)进行功能测试、性能测试;

3)软件文档资料齐全。

4 产品功能、性能的检测应符合国家产品标准要求;有特殊要求的产品,可按合同规定或设计要求进行。

5 设备与材料的功能、性能、技术指标应符合设计要求和产品说明书。

4.3 机架安装

4.3.1 机架的安装应符合下列规定：

1 机房内机架设备的平面位置、机面朝向、机架相互距离应符合设计要求，位置偏差不得大于 10mm。

2 机架及架内设备安装应端正牢固。

3 列主走道侧应对齐成直线，误差不得大于 5mm。整列机架正面应在同一平面上，无凹凸现象。

4 用吊垂测量，机架安装垂直度偏差不得大于机架高度的千分之一。

5 除有特定的绝缘隔离、散热、电磁干扰等要求外，机架应紧密相互靠拢。

6 机架上各种螺丝应齐全并全部拧紧到位，不得扭伤螺纹和螺帽，每个固定螺钉均使用平垫、弹垫，其顺序不得垫反，同类螺丝露出螺帽的长度应一致。

7 机架上各种零件不得脱落或碰坏，架内连接电缆不得碰伤、碰断，各种标志牌应正确、清晰、齐全。

8 所有喷漆零件的表面应光滑平整、色泽一致，不应有划痕和破损，漆面如有脱落应予补漆。

9 机架应配有防静电腕带。

10 前后门、装饰框、机架侧门、机架保护地线、其他配件等机架附件应安装正确，无损伤、不变形，活动部分开、关顺畅，位置准确。

11 在预防意外撞击部位、可接触至布线的部位和危险电压的部位，均应提供覆盖，对危险部位应设有警示标志。

12 机架内配电模块的熔丝(空开)的型号应符合设备技术要求和设计要求，熔丝(空开)应安装牢固。

13 依据机架冷却气流组织方式设计，机架的通风孔率、机架内通风孔的大小设置、架内风机配置等应符合设计要求。

14 机架内外应整洁卫生,无明显的灰尘、污迹;机架内外不得有工程废料或杂物,前后门、侧板等应干净,不得有污损。

4.3.2 配线架的安装应符合本规范第 4.3.1 条的规定,并应符合下列规定:

1 配线架接线板安装位置应符合设计要求,各种标志应完整齐全。

2 线缆在配线架内应绑扎,裁减整齐,弯曲半径应符合设计要求。

3 光纤配线架的光纤连接器的插入损耗和回波损耗应符合设计要求。

4 光纤配线架上光纤连接器的安装位置应正确、牢固,方向一致,盘纤区固定光纤的零件应安装齐备。

4.3.3 机架标签、标识应符合下列规定:

1 机架应安装有标签,标签应注明机架在 IDC 内可唯一识别的标识符。

2 机架标签应同时在正面和背面安装标签,安装位置应统一,内容应正确、清晰、完整。

3 高压警示标识、危险警示标识、防静电标识等相关标识应规范、正确、美观、牢固。

4 机架内配电模块的熔丝(空开)等应有明确的标签。

4.3.4 机架及架内设备、配线架应按设计所要求的抗震加固措施进行加固,并应符合现行行业标准《电信设备安装抗震设计规范》YD 5059 的有关规定。

4.3.5 走线架及槽道的安装应符合下列规定:

1 走线架及槽道的安装位置应符合设计要求,偏差不得超过 50mm。

2 主走线架(槽道)宜与列走线架(槽道)立体交叉,高度应符合设计要求。

3 水平走线架和槽道应与列架保持平行或直角相交,水平度偏差每米不得超过 2mm;垂直走线架和槽道应与地板保持垂直,并无倾斜现象,垂直度偏差不得超过 3mm。

4 走线架支撑、吊挂的间距应符合设计要求,吊架的安装应整齐牢固、保持垂直、无歪斜现象,位置应符合设计要求。

5 列间槽道应成一直线,左右偏差不得超过 3mm;两列槽道拼接处水平度偏差不得超过 2mm。

6 槽道的盖板应方便开合操作,侧面应便于引出线缆,出口宜采用喇叭状对接防止转弯处伤及线缆。

7 所有支撑或吊挂应与建筑物绝缘。

8 各类槽形钢所做的吊架和弯角连接件的上下衔接处应用螺丝做固定,所有的固定螺丝应拧紧。

9 走线架和槽道应表面光洁,无脱漆、无损伤,不变形,线槽内外不得有污迹、金属和其他杂物。

10 铁件的切割处应打磨,不得有毛刺。铁件的漆面应完整无损,当需补漆时,其颜色与原漆色应基本一致。

11 线梯端部突出的地方应安装保护端盖。

12 走线架与机架顶部的高度差大于 0.8m 时应安装下线梯下线。走线架的下线处应安装过线架下线,过线架的下线边缘应有塑料护线套做保护。

4.3.6 安装沿墙单边或双边电缆走线架时,在墙上埋设的支持物应牢固可靠,沿水平方向的间隔距离均匀。安装后的走线架应整齐一致,不得有起伏不平或歪斜现象。

4.3.7 电缆走线架穿过楼板孔或墙洞的地方,应加装子口保护。电缆放绑完毕后,应有盖板封住洞口,子口和盖板应采用非燃烧材料,漆色宜与地板或墙壁的颜色一致;空隙应采用防火泥等材料进行填充及封堵。

4.3.8 预埋线槽和暗管敷设缆线应符合下列规定:

1 敷设线槽的两端宜用标志表示出编号和长度等内容。

2 敷设暗管宜采用钢管或阻燃硬质塑料管。布放多层屏蔽电缆、扁平缆线和大对数主干光缆时,直线管道的管径利用率应为 50%～60%,弯管道应为 40%～50%。暗管布放电缆或光缆时,管道的截面利用率应为 30%～40%。预埋线槽宜采用金属线槽,线槽的截面利用率不应大于 50%。

4.3.9 走线架及槽道的安装应按设计所要求的抗震加固措施进行加固,应符合现行行业标准《电信设备安装抗震设计规范》YD 5059 的有关规定。

4.3.10 接地应符合下列规定:

1 交、直流宜分开接地。

2 机架应可靠引接保护地线,接地应良好,保护接地宜从接地汇集线上引入。

3 配线架应从接地汇集线引入保护接地。

4 走线架和槽道均应可靠引接保护地线。

5 机房内通信设备不得通过安装加固螺栓等与建筑钢筋相碰而形成电气连通。

6 接地螺栓均应使用平垫、弹垫,其顺序不得垫反,地线的压接部分应两点压接,并应用机械方法加以紧固,保证低电阻的连接。

4.3.11 接地线应符合下列规定:

1 各类需要接地的机架、设备与接地汇集排之间的连线,其截面积应根据通过的最大负荷电流确定,并应符合设计要求,不得使用裸导线布放。

2 每个接地点应只接一根馈线,不得两根或多根馈线同接在接地汇集排的同一点上。

3 接地线布放时宜短直,多余的线缆应截断,不得盘绕。

4 接地线两端的标签应齐全清晰。

4.4 IT 设备安装

4.4.1 设备机框的安装应符合下列规定:

1 机框的数量、规格、安装位置应符合设计要求。

2 机框应安装到位,无变形,在机架内正确固定,固定机框的定位螺丝应齐全并拧紧到位。

3 机框上的功能标签或产品编号应正确清晰,不得损伤或丢失。

4 与机框有关的信号线、控制线等,以及模块间的各种信号线应规格正确、连接正确,绑扎理顺,符合设计要求。

5 机框的电源线、保护地线应数量准确、规格正确,应正确连接至机架内配电模块,绑扎理顺,符合设计要求。机框有主备冗余电源模块时,应分别连接至机架内同样具备主备关系的配电模块。

6 设备机壳应可靠引接保护地线。

7 设备的进排风方向应与机房气流组织要求一致。

8 设备线缆应按需布放、捆扎合理,防止阻碍气流畅通。

9 同一机架内功耗较大的设备宜安装于距机架进风口较近的位置。

10 尺寸较深的设备或者正面线缆较多的设备,应安装在远离机架进风口的位置。

11 机架宜按设计能力饱满使用,当机架无法一次装满时,宜从距机架进风口较近的空间开始安装设备。

12 设备安装机架的整架用电量应与机房区域的机架运行功率设计一致。

13 在未安装设备的机架内空间应安装挡风盲板,挡风盲板应能防止冷热风短路。

4.4.2 设备电路板的安装应符合下列规定:

1 电路板的数量、规格应符合设计要求,安装位置应正确。

2 电路板应无弯曲、断裂现象,电路板插针和插座应无歪针、缺针、断针或插座变形。

3 电路板应插装到位,安装的电路板不得偏离机框的槽道或凸出机框的前沿。

4 电路板应用定位螺丝等与机框牢固固定,同时应易拆卸。

5 从电路板引出的通信电缆和光纤等应规格正确、连接准确,在架内应绑扎理顺。

6 暂时不用的设备插槽位置应安装假面板。

4.4.3 设备应粘贴标签,标签应粘贴整齐一致、位置醒目,标识应文字规范,内容清晰、准确、全面。

4.4.4 布放通信信号电缆应符合下列规定:

1 布放电缆的规格程式应符合设计要求。

2 电缆的布放路由、走向应符合设计要求。

3 电缆在走线架或槽道内布放应顺直、整齐,没有明显的扭绞,外皮无损伤。

4 电力电缆与通信信号线缆应分开布放,各种缆线间距离应符合设计要求,当在同一走道布放时,间距应大于 100mm,当走线存在交叉时,应采用垂直交叉。

5 电缆转弯应均匀圆滑,弯弧外部应保持垂直或水平成直线,电缆弯的曲率半径应大于电缆外径的 4 倍。

6 布放走道电缆、架内布放电缆应绑扎。垂直布放时,在电缆的上端和每间隔 1.5m 应绑扎固定,水平布放时,在电缆的首、尾、转弯及每间隔 3m～5m 处应绑扎固定。绑扎后的电缆应互相紧密靠拢,外观平直整齐,线扣间距均匀,松紧适度。

7 布放槽道电缆宜绑扎,槽内电缆应顺直,不宜交叉,电缆不应溢出槽道。在电缆进出槽道部位和电缆转弯处应绑扎或用塑料卡捆扎固定。

8 电缆的布放,应注意顺直不凌乱,宜避免交叉,并且不得堵住送风通道。

9 穿管布放时,管线占用率在无弯时应小于 40%、有弯时应小于 30%。

10 电缆下线卡、转弯处、线槽尾端等边缘的地方应有防止损伤电缆的保护措施。

11 电缆外表应整洁干净、不得有杂物和金属屑。

4.4.5 电缆芯线成端应符合下列规定：

1 应最小拨开缆线的表皮，保持原有的缆线的绞距；电缆剖头处应平齐，不得刮伤芯线的绝缘；分线应按色谱顺序，不得将每组芯线的互绞打开。

2 对于绕接电缆芯线，绕接应紧密，不得叠绕。

3 对于卡接电缆芯线，卡线位置、长度应一致。

4 制作同轴电缆成端时，接地网应保留，保证电缆连接良好；电缆芯焊接应可靠，不得虚焊、漏焊。

5 UTP、STP 电缆的安装应符合现行国家标准《综合布线系统工程验收规范》GB 50312 的有关规定。

4.4.6 敷设光纤应符合下列规定：

1 光纤的规格、程式、路由走向应符合设计要求，技术指标应符合设计文件及工程合同要求。

2 光纤布放时不得受压，应使用光纤专用扎带理顺绑扎，宜顺直，弯曲时最小曲率半径不应小于 10 倍光纤护套外径且不应小于 30mm。

3 光纤宜布放在光纤槽道内，应保持光纤顺直，无明显扭绞，光纤从槽道引出时宜采用光纤保护管保护。无光纤槽道时，光纤应用光纤保护管保护，保护管应顺直绑扎在电缆走道内，并应与电缆分开放置。

4 暂时不用的光纤头部应采用护帽保护，盘绕整齐，使用胶带缠在光缆分线盒上。

5 光纤应整条布放。

4.4.7 敷设电力电缆（电线）应符合下列规定：

1 安装缆线的路由、路数及型号应符合设计要求。

2 使用导线的规格、器材绝缘强度、燃烧性能及熔丝（空开）的容量均应符合设计要求。

3 缆线应采用整段线料，中间无接头。

4 电力电缆布放排列应平直整齐,绝缘层无损伤。

5 交、直流电源的电力电缆(电线)应分开布放。

6 电力电缆接续时应连接牢固,接头接触良好。10mm² 及以下的电力电缆宜采用打接头圈方式连接,打圈绕向与螺丝紧固方向一致,铜芯电力线接头圈应镀锡,螺丝和接头圈间应安装平垫圈和弹簧垫圈;10mm² 以上的电力电缆应采用铜鼻子连接,铜鼻子的材料应与电缆相吻合,铜鼻子的规格应与线缆规格一致,剥露的铜线长度适当,并应保证芯线完整插入铜鼻子压接管内。

7 安装在铜排上的铜鼻子应牢靠端正,采用合适的螺栓连接,并应安装齐备平垫圈和弹簧垫圈。铜鼻子压接管外侧应采用绝缘材料保护,正极应用红色,负极应用蓝色,保护地应用黄色。

8 安装后的线缆末端应用胶带等绝缘物封头,剖头处应用胶带和护套封扎。

9 每对直流电力电缆应保持平行,正负线两端应有统一红蓝标志。

10 直流电力电缆应保证电压降指标及对地电位符合设计要求。

11 每路直流馈电线连同所接的列内电源线和机架引入线两端腾空时,用 500V 兆欧表测试正负线间和负线对地间的绝缘电阻均不得小于 1MΩ。

12 每路交流电源线两端腾空时,用 500V 兆欧表测试芯线间和芯线对地间的绝缘电阻均不得小于 1MΩ。

13 交直流电源线、保护地线应有明显的颜色区分。对直流布线,正极宜采用红色,负极宜采用蓝色,保护地线宜采用黄绿双色。

4.4.8 通信信号电缆、电力电缆(电线)、光纤的两端应粘贴标签,标签应粘贴整齐一致,标识应文字规范,内容清晰、准确、全面。

4.5 IT设备系统调测

4.5.1 通电调测前的检查应符合下列规定：

1 机房电源电压应符合用电设备要求。

2 设备检查应符合下列规定：

1）设备应完好无损；

2）插板类型、数量、安装位置应与设计图纸相符；

3）设备的各种选择开关应置于指定位置上；

4）设备的各种熔丝（空开）规格应符合要求；

5）用万用表测量机架和机箱，接地应良好；

6）用万用表测量供电电源回路上不应存在电压；用万用表测量其电源线对地不应有短路现象；

7）设备在通电前，应在电源分配架输入端测量主电源电压，确认正常后方可进行通电测试；

8）各种文字符号和标签应齐全正确。

4.5.2 软硬件检查测试应符合下列规定：

1 各种硬件检测所采用的操作程序和操作指令及步骤应经建设单位和厂家共同协商确定。

2 测试前应准备好必需的仪表，仪表在测试前应做校准。

3 各种硬件设备按照操作程序，逐级加上电源，电源接通后，用万用表测量直流或交流电压应符合设备要求。设备内风扇装置应运转良好。

4 对IDC网络系统中的路由器、交换机等网络设备以及防火墙、IDS、IPS、负载均衡器等设备检测应符合下列规定：

1）应检测设备的数量、软硬件配置，并应符合工程合同及设计要求；

2）应检测设备的系统配置，并应符合工程合同及设计要求；

3）应检测设备的端口配置，并应符合工程合同及设计要求；

4）在设备模块具有冗余配置时，应测试其备份功能；

5）应检查网络设备配置文件的保存功能；

6）应检查网络设备所开启的管理服务功能；

7）应测试网络设备同时支持 IPv4 和 IPv6 的能力情况，并应符合工程合同及设计要求。

5　对 IDC 资源系统中的服务器设备检测应符合下列规定：

1）应检测服务器设备的数量、主机配置，并应符合工程合同及设计要求；

2）应检测服务器设备的外设配置，并应符合工程合同及设计要求；

3）应检测服务器设备的系统配置，并应符合工程合同及设计要求；

4）应检查服务器的网络配置，并应符合工程合同及设计要求；

5）应检查服务器中所安装软件的目录位置、软件版本，并应符合工程合同及设计要求；

6）在服务器内的硬件模块具有冗余配置时，应测试其备份功能；

7）应根据服务器所用的操作系统，测试文件系统、网络系统、输入（输出）系统等基本功能；

8）应检查服务器中启动的进程是否符合此服务器的服务功能要求，测试服务器中应用软件的各种功能；

9）在服务器有高可用集群配置时，应测试其主备切换功能。

6　对 IDC 资源系统中的存储设备检测应符合下列规定：

1）应检测存储设备的数量、系统配置，并应符合工程合同及设计要求；

2）在存储设备内的模块具有冗余配置时，应测试其备份功能。

7　对 IDC 资源系统中提供软件应用能力的中间件、软件应用平台等检测应符合下列规定：

1）应检测软件的名称、版本、许可证数量，并应符合工程合
　　　同及设计要求；

　　2）应检测软件的安装及配置情况，并应符合工程合同及设
　　　计要求。

　　8　对 IDC 管理系统中的软硬件设备应按上述内容进行
检测。

4.5.3　对于 IDC 网络系统调测应符合下列规定：

　　1　检查网络拓扑结构应符合本规范第 3.5 节及设计要求。

　　2　对网络中的冗余设备、冗余链路进行测试，主备网络设备
及冗余网络路径应能正常切换，切换时间应符合工程合同及设计
要求。

　　3　检查网络路由协议配置、路由策略配置应符合本规范第
3.5 节及设计要求。检查网络路由表内容应符合工程合同及设计
要求。测试 IDC 与互联网的网络连通性应正常可达。测试网络
路由的收敛功能、收敛时间应符合工程合同及设计要求。

　　4　宜使用仪表模拟加载一定的业务流量进行压力测试，测量
网络时延与网络丢包率应符合工程合同及设计要求。

4.5.4　对于 IDC 资源系统调测应符合下列规定：

　　1　测试通过在业务接入层划分 VLAN 网络，形成为用户服
务的网络资源的功能应正常。测试 VLAN 之间的隔离情况应正
常。检查 VLAN 配置方式应符合工程合同及设计要求。

　　2　应测试可为用户服务的物理主机计算资源和虚拟机资源
的提供与运行功能，并应符合工程合同及设计要求。

　　3　应测试可为用户服务的存储资源的提供与运行功能，并应
符合工程合同及设计要求。

　　4　应测试可为用户服务的软件能力和应用资源的提供与运
行功能，并应符合工程合同及设计要求。

　　5　应对计算资源、存储资源、能力和应用资源进行性能压力
测试，测试抽样率不应小于 10％，最少分别不应少于 2 件，测试结

果应符合工程合同及设计要求,有关设备的利用率应符合工程合同及设计要求。

6 应测试资源系统高可靠性设计部分的实现情况,并应符合工程合同及设计要求。

7 应测试虚拟化资源池的提供、运行及调度功能,并应符合工程合同及设计要求。

4.5.5 对于管理系统调测应符合下列规定:

1 应检查、测试 KVM 系统的功能。

2 应检查、测试服务器硬件管理系统的功能。

3 应测试 IDC 网络管理功能的实现情况,并应符合工程合同及设计要求。

4 应测试 IDC 资源管理功能的实现情况,并应符合工程合同及设计要求。

5 应测试 IDC 业务管理功能的实现情况,并应符合工程合同及设计要求。

6 应测试 IDC 运营管理功能的实现情况,并应符合工程合同及设计要求。

4.5.6 对 IDC 网络安全功能调测应符合下列规定:

1 应检查 IDC 网络安全域划分情况,并应符合工程合同及设计要求。

2 应检查网络系统中各网络设备、资源系统中各设备的安全功能配置情况,并应符合工程合同及设计要求。

3 应检查、测试 IDC 配置的各种安全设备系统的安全策略配置和功能实现情况,并应符合工程合同及设计要求。

4 应检查、测试虚拟机安全管控功能,并应符合工程合同及设计要求。

5 应检查、测试多租户应用的隔离和数据安全功能,并应符合工程合同及设计要求。

6 应检查、测试 IDC 安全管理系统的各项安全管理功能,并应符合工程合同及设计要求。

7 应检查、测试 IDC 信息安全管理功能的实现情况，并应符合工程合同及设计要求。

4.5.7 对 IDC 业务系统调测应符合下列规定：

1 应检查测试 IDC 基本业务的实现情况，业务流程、业务功能均应正确实现，并应符合工程合同及设计要求。

2 应检查测试 IDC 附加业务的实现情况，业务流程、业务功能均应正确实现，并应符合工程合同及设计要求。

3 应检查测试 IDC 提供分级服务能力的实现情况，并应符合工程合同及设计要求。

4 应检查 IDC 的用户业务编码方案，并应符合工程合同及设计要求。

4.5.8 对 IDC 计费检测应符合下列规定：

1 应检查、测试支持的计费类型，并应符合工程合同及设计要求。

2 应检查计费记录的内容、格式和存储时长，并应符合工程合同及设计要求。

4.6 竣 工 文 件

4.6.1 工程完工后，施工单位应及时编制竣工文件。工程验收前施工单位应向建设单位提交竣工文件一式三份。

4.6.2 竣工文件应包含下列规定内容：

1 工程说明。

2 工程开工报审表。

3 开工报告。

4 安装工程量总表。

5 已安装的设备明细表。

6 工程设计变更单。

7 重大工程质量事故报告。

8 停(复)工报告。

9 随工签证记录、隐蔽工程签证。

10 交(完)工报告。

11 交接书。

12 洽商记录。

13 验收证书。

14 测试记录。

15 竣工图纸。

4.6.3 竣工文件应符合下列规定：

1 按规定内容应没有缺页、漏项、颠倒现象，资料齐全。

2 竣工图纸应与实际竣工状况相符，测试记录数据应真实准确。

3 资料书写应字迹清楚、版面整洁、规格一致。

4.6.4 竣工文件的编订应符合建设单位归档要求，可按分部工程装订成册，内容较多时，可分册装订。

5 互联网数据中心工程验收

5.1 工 程 初 验

5.1.1 工程初验应在完成全部设计工程量,机房基础设施系统安装、调测完毕,IT 设备系统安装、调测完毕,各系统的功能和性能经检查、调测合格,竣工文件编制完毕,施工单位向建设单位(监理单位)提交完工报告后,由建设单位组织。

5.1.2 建设单位在接到施工单位的交工通知和竣工文件后,应及时组织验收小组进行初验。

5.1.3 工程初验应按照工程合同及设计要求,对设备进行清点核实,对工程安装工艺质量进行检查,对系统的功能、性能进行测试,对竣工文件进行审查,对已安装设备和技术文件进行移交。

5.1.4 工程初验中移交的技术文件的介质形式、份数、内容应符合工程合同要求。技术文件内容可包括下列内容:

    1 资产明细表。

    2 说明文件。

    3 设备硬件资料。

    4 软件资料。

    5 设备及系统配置文件。

    6 相关施工图纸。

    7 技术手册。

    8 简明扼要的日常操作维护指导。

    9 设备安装、测试资料及各种记录。

    10 其他相关文件。

5.1.5 IDC 机房建筑、电气系统、空调系统、消防系统、给水排水系统、室内装饰装修、综合布线系统、安全防范系统、动力环境监控系统的检查与验收应符合现行国家标准《数据中心基础设施施工及验收规范》GB 50462 的有关规定。

5.1.6 IDC 机房的模块设置、功能分区应合理,并应符合工程设计要求。

5.1.7 机架检查与验收应符合下列规定:

1 检查机架数量,测量各机架的尺寸,并应符合工程设计要求。

2 检查机架内的电源分配模块配置,并应符合工程设计要求。

3 采用通透式机架的,检查机架的前、后门开孔率应符合设计要求;采用半封闭式机架的,检查架底进风口,进风口宜可调,面积应符合设计要求,检查后门开孔率应符合设计要求。

4 机架安装工艺应符合本规范要求。在施工过程中,建设单位委派工地代表或监理工程师组织随工检验并取得签证的安装项目,在工程初验阶段可不再检验。

5.1.8 在施工过程中,建设单位委派工地代表或监理工程师组织随工检验并取得签证的安装项目,在工程初验阶段可不再检验。

5.1.9 IT 设备系统工程的初验测试可按表 5.1.9 所列项目内容,并结合工程实际情况进行。

表 5.1.9 工程初验 IT 设备检测、系统功能与性能及业务测试内容

项目	条款号	验收子项	主要检验内容	验收方式	抽测率
设备检测	第 4.5.2 条 第 4 款	网络系统设备检测	数量; 软硬件配置; 系统配置; 端口配置; 冗余模块功能; 配置文件的保存; 管理服务功能; IPv6 支持	随工检验,初验抽测	10%

项目	条款号	验收子项	主要检验内容	验收方式	抽测率
设备检测	第4.5.2条 第5、6、7款	资源系统设备检测	数量； 主机、外设配置； 系统配置； 网络配置； 安装软件； 冗余模块功能； 操作系统； 启动的进程； 集群配置	随工检验，初验抽测	10％
系统功能与性能测试	第4.5.3条	网络系统测试	网络拓扑结构； 冗余设备； 冗余链路； 路由协议与策略； 网络时延与丢包率	随工检验，初验测试	全测
	第4.5.4条	资源系统测试	VLAN隔离与配置； 计算资源； 存储资源； 软件能力和应用资源； 性能压力测试； 高可靠性测试； 虚拟化资源池	随工检验，初验抽测	10％
	第4.5.5条	管理系统测试	KVM； 服务器硬件管理； 网络管理； 资源管理； 业务管理； 运营管理	随工检验，初验测试	全测
	第4.5.6条	安全	安全域划分； 安全功能配置； 安全策略配置； 安全管理； 信息安全	随工检验，初验测试	全测

续表 5.1.9

项目	条款号	验收子项	主要检验内容	验收方式	抽测率
业务测试	第4.5.7条	业务系统测试	基本业务；附加业务；分级服务；业务编码	初验测试	全测
	第4.5.8条	计费	计费类型；计费记录存储	初验测试	全测

5.1.10 机房基础设施工程和 IT 设备系统工程检查、验收完成后,宜选择一个典型的 IDC 机房模块,按照模块内机架运行功率设计情况满负荷加载 IT 设备假负载进行供电、空调及 PUE 的验证测试。IDC 总能耗测量点宜取市电输入变压器之前,IT 设备能耗宜在各 IT 设备输入电源处测量并加总。PUE 测量设备的精度要求误差不应超过 ±3%,解析度不应低于 0.1kWh。PUE 测量周期不应小于 1h,在测量周期内应持续测量和记录,应取稳定数值或 3 次测量的平均值作为测量结果。

5.1.11 工程初验中,应按备品备件清单对各项备品备件数量进行清点、移交,并对各种备件板进行联机测试,并应确认性能良好。

5.1.12 工程初验通过后,应形成初验报告,列出工程中的遗留问题,提出解决遗留问题的责任单位和解决时限。

5.1.13 工程初验通过后,施工单位应向建设单位移交所有的设备系统口令和测试账号内容。建设单位应检查所有的口令设置,并应根据有关要求重新进行设定,重新设定的口令应与原口令不同。

5.2 工程试运行

5.2.1 初验通过后,建设单位应安排进行试运行,可接入一定的业务。试运行阶段应从工程初验合格、网络割接后开始,试运行时间不应少于 3 个月。

5.2.2 试运行应由建设单位组织维护人员执行。在试运行期间，应做好下列记录内容：

  1 硬件故障率。

  2 软件稳定性。

  3 设备实际功耗是否小于或等于工程合同有关数值。

  4 各项设备性能指标是否满足工程合同及设计要求。

  5 各项系统性能指标是否满足工程合同及设计要求。

  6 观察计费记录是否符合工程合同及设计要求。

  7 管理系统统计的各项数据、项目及指标是否满足工程合同及设计要求。

  8 进行长期能耗测量，观察 PUE 指标是否满足工程合同及设计要求。

5.2.3 在试运行阶段不得由于设备本身原因引起人工再启动。

5.2.4 在试运行期间，可定期对设备和系统进行指标抽测，可针对重要测试项目进行验证测试。

5.2.5 试运行期间，对机房基础设施各系统应进行综合效能的调整。

5.2.6 试运行结束，系统功能和性能指标达到工程合同及设计的规定，建设单位应提交试运行报告，方可进行工程终验。当主要指标不符合要求时，应从次日开始重新试运行 3 个月。

5.3 工程终验

5.3.1 试运行结束后，系统各项功能、性能应达到工程合同及设计要求，工程遗留问题已经解决，可进行工程终验，工程终验由工程主管部门组织。

5.3.2 工程终验应包括下列内容：

  1 确认各阶段检查、测试结果，工程试运行情况。

  2 工程初验提出的遗留问题处理情况。

  3 确认分部工程质量验收结果。

4 确认隐蔽工程检查验收结果。

5 验收组认为必要项目的复验。

6 检查工程技术档案的整理情况。

7 对工程进行评定和签收。

5.3.3 终验可对系统功能和性能指标进行抽测。当发现质量不合格的项目时,应由验收组查明原因,分清责任,提出处理意见。

5.3.4 终验应对投资进行初步决算,对工程质量进行综合评定,签发验收证书。

5.3.5 工程终验后,IDC 可投产运行。

本规范用词说明

1 为便于在执行本规范条文时区别对待,对要求严格程度不同的用词说明如下:

1)表示很严格,非这样做不可的:

正面词采用"必须",反面词采用"严禁";

2)表示严格,在正常情况下均应这样做的:

正面词采用"应",反面词采用"不应"或"不得";

3)表示允许稍有选择,在条件许可时首先应这样做的:

正面词采用"宜",反面词采用"不宜";

4)表示有选择,在一定条件下可以这样做的,采用"可"。

2 条文中指明应按其他有关标准执行的写法为:"应符合……的规定"或"应按……执行"。

引用标准名录

《建筑设计防火规范》GB 50016

《电子信息系统机房设计规范》GB 50174

《公共建筑节能设计标准》GB 50189

《综合布线系统工程验收规范》GB 50312

《智能建筑设计标准》GB/T 50314

《安全防范工程技术规范》GB 50348

《入侵报警系统工程设计规范》GB 50394

《视频安防监控系统工程设计规范》GB 50395

《出入口控制系统工程设计规范》GB 50396

《数据中心基础设施施工及验收规范》GB 50462

《声环境质量标准》GB 3096

《电信设备安装抗震设计规范》YD 5059

中华人民共和国国家标准

互联网数据中心工程技术规范

GB 51195 - 2016

条 文 说 明

制 订 说 明

《互联网数据中心工程技术规范》GB 51195—2016,经住房城乡建设部 2016 年 8 月 26 日以第 1289 号公告批准发布。

为了适应社会信息化水平不断提高的要求,加快建设下一代信息基础设施,本规范主要针对互联网数据中心的工程设计、施工和验收提出技术要求。

为了便于广大设计、施工等单位有关人员在使用本规范时能正确理解和执行条文规定,编写组按章、节、条顺序编制了本规范的条文说明。对条文规定的目的、依据以及执行中需注意的有关事项进行了说明。但是,本条文说明不具备与规范正文同等的法律效力,仅供使用者作为理解和把握规范规定的参考。

目　　次

1　总　　则 ………………………………………………（61）

2　术语和缩略语 …………………………………………（62）

　2.1　术语 …………………………………………………（62）

　2.2　缩略语 ………………………………………………（62）

3　互联网数据中心工程设计 ……………………………（63）

　3.1　业务功能 ……………………………………………（63）

　3.2　系统组成 ……………………………………………（64）

　3.3　IDC分级 ……………………………………………（65）

　3.4　机房基础设施 ………………………………………（66）

　3.5　网络系统 ……………………………………………（70）

　3.6　资源系统 ……………………………………………（71）

　3.7　业务系统 ……………………………………………（73）

　3.8　管理系统 ……………………………………………（73）

　3.9　安全 …………………………………………………（74）

　3.11　码号与地址 ………………………………………（75）

　3.13　能耗 ………………………………………………（75）

　3.14　设备配置 …………………………………………（75）

4　互联网数据中心工程施工 ……………………………（77）

　4.2　机架及IT设备系统的施工前准备 ………………（77）

　4.3　机架安装 ……………………………………………（77）

　4.5　IT设备系统调测 …………………………………（78）

　4.6　竣工文件 ……………………………………………（78）

5　互联网数据中心工程验收 ……………………………（79）

　5.1　工程初验 ……………………………………………（79）

　5.2　工程试运行 …………………………………………（80）

1 总　　则

1.0.1　本条提出了 IDC 工程需要遵循的一般性原则。

1.0.2　本规范中 IDC 主要采用机房建筑形式。本规范不适用于集装箱式 IDC、仓储式 IDC 工程等的设计、施工及验收。

1.0.3　根据本条要求，未获得电信设备进网许可证的电信设备不得在 IDC 工程中使用。

1.0.4　本条是根据《中华人民共和国防震减灾法》中有关新建、扩建、改建工程应当达到抗震设防要求的内容提出的。IDC 工程作为基础性系统工程，建设中使用的主要电信设备必须满足抗震设防要求，提高 IDC 的抗震设防水平。本条为强制性条文，必须严格执行。

2 术语和缩略语

2.1 术　　语

2.1.1 本条定义的互联网数据中心是指主要提供互联网业务和服务的数据中心。数据中心本身的含义有狭义和广义之分，狭义的数据中心主要指容纳 IT 设备的建筑物及建筑物内设施；广义的数据中心既包括建筑物及设施，也包括安装于内的 IT 系统。本规范中互联网数据中心含义指后者。

2.1.18 电能利用效率（PUE）是衡量 IDC 机房基础设施能效的综合指标。

2.2 缩　略　语

本规范中的 UPS 指交流不间断电源。

3 互联网数据中心工程设计

3.1 业务功能

3.1.1 基本业务是 IDC 通常提供的公共型业务,主要表现为资源出租型业务。

1 VIP 机房出租:指 IDC 根据用户需要,向用户提供封闭或半封闭的空间放置用户自备的网络和服务器等设备,管理和配置多由用户独立完成。VIP 机房一般配备独立的门禁系统,在网络出口方面可共用 IDC 的互联网出口,也可使用 IDC 提供的专线出口。

2 主机托管:指 IDC 为用户提供一定的"空间"和"带宽",其中"空间"是参照机架服务器的规格选取一定的机架或机位空间,用户将自己的网络设备、服务器托管在租用的空间内。用户拥有对托管设备的所有权和完全控制权限,用户自行安装软件系统和自行维护。

3 机架出租:指 IDC 向用户提供一定数量的机架,用户在机架可自行安装、维护自备设备。根据用户需求,机架可与其他机架之间采用通透式钢笼隔离。

4 服务器出租:指 IDC 规模采购服务器设备,出租给 IDC 用户,并向承租人提供主机的硬件维修、保养等服务。用户拥有对租用设备的使用权和完全控制权限,自行安装和维护软件系统。

5 虚拟机出租:指 IDC 通过虚拟化软件将服务器资源(系统资源、网络带宽、存储空间等)按照一定的比例划分成若干台"虚拟"的服务器,同一台服务器上的不同虚拟机是彼此独立的,并可由用户自行管理。用户在虚拟机上自行安装和维护软件系统。

6 带宽出租:IDC 可根据用户的需要提供不同形式的端口接

入方式和接入带宽,根据接入方式的不同分为共享型、独享型。共享型指一定数量的用户租用某种网络端口并共享同等级出口带宽,多台用户设备共同接入 IDC 接入层交换机,通过该交换机同一条上行链路接入 IDC 网络汇聚层设备,用户带宽受该链路所带用户数影响。独享型指用户租用某种网络端口并独享出口带宽,用户设备直接接入 IDC 汇聚层或核心层交换机,独占汇聚层或核心层设备的一个端口,并完全占用该出口带宽,IDC 为用户提供受保障的带宽。

7 IP 地址出租:IDC 向用户提供一定数量的 IP 地址,在用户需要额外数量的 IP 地址时需另行租用。

根据业务发展需要,IDC 可具备提供更多种类基本业务的功能。

3.1.2 附加业务是 IDC 根据自身情况面向用户群体推出的差异化服务,大多属能力服务型,可在基本业务之上由用户选购。根据业务发展需要,IDC 可具备提供更多种类附加业务的功能。

3.1.3 本条中的 IT 应用平台类能力租用服务即为云计算概念中的"平台即服务",该服务面向用户提供开发环境、部署环境、应用能力等平台级服务,用户使用这些服务可快速开发并部署各种应用。

3.1.4 本条中的应用软件类租用服务即为云计算概念中的"软件即服务",该服务面向用户提供在线软件服务等。

3.1.5 IT 系统外包服务指 IDC 向用户提供包括机房基础设施、IT 系统、运维管理等在内的整体建设、运行和维护等服务。

3.2 系 统 组 成

3.2.1 本条对 IDC 的系统组成进行了建模。

机房基础设施为 IDC 提供机房建筑、供电系统、空调系统、布线系统、消防系统、安防系统、动力环境监控系统和能耗管理系统等基础环境,为所有其他系统服务。

网络系统由路由器、交换机等数据通信设备和安全设备等组成，是开展 IDC 运营的基础，对外担负着 IDC 与外部互联网的互联功能，对内承载着 IDC 的资源系统、业务系统和管理系统。安全设备部署在 IDC 网络内，防范 IDC 来自外部互联网的攻击和保障 IDC 内部网络和业务的正常运行。

资源系统为 IDC 提供开展业务运营所需的基础资源池，包括计算资源、存储资源、网络资源和软件能力资源及应用软件资源等。业务通过各种资源的合理组合来为 IDC 客户提供服务。

业务系统是 IDC 的核心要素，也是 IDC 价值的具体表现形式。它根据市场需求，将 IDC 内的各种资源进行合理的整合和配置，对外包装出符合市场需求的可运营产品或服务，并将这些产品和服务销售给 IDC 客户。一些 IDC 基本资源出租类服务（如机架出租、机房出租等）可直接利用 IDC 机房基础设施和网络系统的能力，而一些 IT 资源出租服务需要利用资源系统提供的资源池能力。

管理系统为 IDC 稳定运行、维护以及 IDC 业务运营提供必要的各种支撑服务。

安全系统为 IDC 提供必要的网络安全和信息安全等方面的监测和保障，提高 IDC 的安全性。

3.3　IDC 分级

3.3.1　IDC 分级是设计的前提，分级决定设备配置标准、决定建设投资大小，也决定目标客户群体。IDC 分级需要综合考虑业务需求、运营、技术和管理等全面因素确定。

3.3.2　本条规定的不同 IDC 机房级别基于业务可用性维度，采用机房基础设施和网络系统所能支持的 IDC 业务的可用性为划分依据。业务的可用性指业务在任意时刻能被正常使用的概率，与业务所涉及的系统的无故障工作时间、故障恢复时间有关。

1　R1 级 IDC 机房的机房基础设施和网络系统的主要部分

应具备冗余能力指不应因关键设备的故障导致业务系统运行中断。

2 R2级IDC机房的机房基础设施和网络系统的冗余能力指在冗余能力范围内,不应因设备故障、计划维护检修导致业务系统运行中断。

3 R3级IDC机房的机房基础设施和网络系统的容错能力指不应因这些子系统的设备故障、外电源中断、维护和检修而导致业务系统运行中断。

工程设计时可根据故障恢复时间要求,从业务可用性要求得出无故障工作时间要求,从而估计出可靠性要求,然后将可靠性指标分配到IDC各系统中,得出IDC各系统的可靠性指标要求。本条要求不适用有异地容灾备份的情形。

3.3.3 根据本条要求,IDC的不同楼层可以设计成不同级别,也可以同一楼层的不同机房区域设计成不同级别,即机房模块单元的大小取定需要与业务需求规划相匹配,可根据实际情况灵活调整,但混合设置时级别差距不宜太大。

3.4 机房基础设施

3.4.1 本条是IDC机房基础设施的一般性要求。

1 IDC作为电子信息系统机房中的一大类别,本规范针对IDC的特点给出了机房、环境、电气、空调、安防等方面的规定,与一般电子信息系统机房要求一致的内容未在规范中提及,因此,执行本规范时需要注意除本规范规定外,其他未提及的要求均应遵从现行国家标准《电子信息系统机房设计规范》GB 50174及其引用的有关标准的规定。

2 模块化的目的是使IDC各机房区的容量及等级有灵活变化的可能。模块化设计可以增强IDC的使用灵活性和可扩展性,实现基础设施按需部署,缩短部署时间,降低成本。不同的模块颗粒度可以包括不同的容量单元。工程设计中还需要根据业务需求确定好模块内子系统的组成。

3 可靠性指系统在规定的条件下和规定的时间、区间内无故障持续完成规定功能的概率。可靠性指标分配的目的是指导系统配置，可选择适当的方法完成。由于影响系统可靠性的因素众多，并没有普适的分配模型，需要与实际工程经验相结合，例如可采用综合考虑重要度和复杂度的分配法。

3.4.2 本条规定了 IDC 机房设计有关要求。

1 大型 IDC 因为耗能大，选择能够充分降低空调系统工作负荷、能够充分利用自然冷源的地区可以降低 IDC 整体能耗。

3 IDC 的主机房区是 IDC 的核心生产区域。辅助区中的客户维护操作区用于客户对托管系统进行操作维护，客户接待区用于接待来访客户、进行安全检查和登记，客户休息区用于来访客户和在 IDC 内操作维护客户的临时休息，会议室可以兼作业务培训等。

4 控制、提高 IDC 有效面积利用率，对于降低工程造价，增加业务可使用面积起着重要作用。主机房面积与支持区面积的协调需要处理好工艺装机、空调、电源三个要素间的关系。

6 IDC 主机房区梁下净高由气体灭火管道高度、工艺生产要求的净高、架空地板高度、送风风管高度、回风吊顶（管）等组成。工艺生产要求的净高为机架高度、走线架高度、机架与走线架间隔高度之和。

8 主机房采用矩形的目的是提高面积利用率。使用通透式钢笼隔断的目的是便于空调气流循环。

11 不设外窗、降低层高，可以减少环境温度负荷要求。

3.4.3 本条规定了 IDC 机架设计有关要求。

1 IDC 主机房内的设备机架包括 IDC 自有系统用机架、出租用机架等。

2 IDC 机房内机架平均运行功率的选择应根据业务需求，整体综合考虑各系统配置、协调匹配、依据整体最优原则确定。

5 设置能耗统计仪表是为了实时监测机架耗电情况。

7 通透式机架采用通过机架正面直接进风或者通过带网孔的前门进风,再通过机架后面直接出风或者通过带网孔的后门出风方式,使机架内设备得到冷却。半封闭式机架即为自带冷通道的机架。半封闭式机架的前门与架内安装的设备(或假面板)之间设置专用冷空气通道,前门封闭、后门开孔。机房采用下送风方式时,半封闭式机架底板前部(机架前门与设备间)设置一独立进风口。

3.4.4 本条规定了IDC机房供电系统设计相关要求。

2 一般IDC引接的市电电压等级为10kV。大型IDC由于用电负荷大、功率密度高、供电可靠性要求高,采用更高的市电电压等级与10kV电压等级相比在经济、节能等方面效果较为显著。如当地电网条件限制,只能采用35kV市电引入时,可建设35kV变电站。

4 变压器2N系统运行方式含义为两两变压器互为备用,平时变压器采用分段供电方式,当其中一台变压器发生故障时,另一台变压器将担负故障变压器所承担负荷的供电。两台变压器均故障时,由自备发电机组负担全部负荷。

5 集中安装集中供电模式是指将电力电池室设置在IDC机楼的一层或中间层,集中安装几套大容量电源和蓄电池组负责全机楼的IT设备机房供电。集中安装分散供电模式是指IDC机楼的每一层均设置电力电池室,集中安装若干套中容量电源和蓄电池组分别负责每类设备供电。半分散安装分散供电模式是指IDC机楼的每一层只设置电池室,将蓄电池组集中安装电池室内,配置若干套小容量电源分散安装在IT设备附近,就近为IT设备供电。全分散供电模式是指将UPS电源系统或直流供电系统(包括电池)分散安装在用电设备的列头,就地为IT设备供电。目前除小型IDC外,一般IDC机房主要采用集中安装分散供电模式。另外,分散供电模式中的全分散供电模式灵活性较高,易于满足不同等级的供电需求。

高压直流供电系统的可用性高、系统效率高、电源设备造价较低、设备占地面积小、系统可维护性好，但目前高压直流供电系统尚在发展中，标准化程度等方面有待提高。

6 本款规定了供电系统有关节能措施。

1）各种供电系统中的新技术一直在发展中，例如采用锂电池、飞轮 UPS、市电直供等，工程中可以选用成熟、可靠的新方案。

2）变压器、UPS 设备靠近用电设备，能够缩短配电的电力路由，减少导电材料的使用和降低电力路由上的能量损耗。

4）UPS 采用经济运行模式时，平时由市电供电，逆变器后备待机，市电故障和异常时才由逆变器供电。经济运行模式下 UPS 整流器和逆变器几乎不消耗能量，整机基本上只有风机的功耗。此时需注意，UPS 由旁路切换到主回路供电的转换时间应不影响用电设备工作。

3.4.5 本条规定了 IDC 机房空调设计有关要求。

2 本条规定较高的机架进风温度可以大幅节约能源。

4 水冷空调末端布置在专门的空调间内是为防止水冷空调管路爆管造成 IDC 主机房内设备损坏。地面应做防水处理是为了以防事故水流入下层机房。

6 本款规定了 IDC 主机房区气流组织设计有关要求。

1）冷通道和热通道的设置是为了实现冷热气流分隔，达到"先冷设备、后冷环境"的目的。

2）采用地板下送风方式时，采用上走线形式，此时地板下不布放任何通信或电源线等相关线缆（消防用线缆除外）。

7）超出 15m 时，可以采用对吹方式。

8 高功率机架发热量大，空调断电停止运行将导致机房内温升过快，本款要求是为了实现不间断供冷。

9 充分利用自然冷源是降低 IDC 能耗的有效途径。利用室外自然冷源、采用自然冷却模式时，需要注意室外空气质量问题，避免室外空气腐蚀性气体影响,还需处理好与消防系统(尤其是气体灭火剂消防系统)的配合问题。

3.4.7 IDC 机房智能化的实现要求机房基础设施可管理。

3.5 网 络 系 统

3.5.1 本条规定了 IDC 网络系统结构设计有关要求。

1 本款规定的 IDC 网络结构采用了前端业务网络与后台管理网络分离、层次化、模块化设计方式。运维管理层和业务网络物理隔离的设计方法优点有:①即使业务网络遭受攻击,可以正常通过管理网络对设备进行管理、提供服务,快速诊断问题,减少业务损失;②管理网络的网管、防病毒、漏洞扫描等应用和管理人员的操作均独立于业务网络,对业务网络不产生影响;③维护人员和客户可通过 VPN 远程接入管理网络,通过互联网随时随地实现对 IDC 内网设备的管理。

根据业务的发展情况,网络系统可分步建设、灵活扩展,同时也可根据 IDC 业务发展变化情况,调整业务模块的用途。

本款图 3.5.1 示意了 IDC 网络结构,其中设备间连线为示意用途。图中还示意了存储网络部分。存储网络可以独立组网,例如基于光纤交换机组织 SAN,也可以统一组网,基于以太网传送光纤通道技术或 NAS 等形成存储网络部分。

2 本款规定是考虑到目前 IDC 的安装密度越来越高,应用密集,故障影响范围大,良好的网络拓扑是实现网络快速收敛、更强故障自愈的基础。要求核心路由器/核心交换机和汇聚交换机之间、汇聚交换机和接入交换机之间的拓扑结构应根据 IDC 流量流向特性设计,不同的流向特性包括以出 IDC 流向为主的流量特性、以内部横向流量为主的流量特性等。

5 业务接入层的区域划分可以采用功能聚类方法进行,可根据用户需求的不同进一步细分。例如,对于主机托管区,功能区域一是通过普通接入(不需要经过防火墙)连接到互联网。用户拥有自己的业务设备,用户仅需要从 IDC 租用固定带宽和机位机架的服务;功能区域二通过防火墙、IDS 等安全设备连接到互联网,用户需要使用 IDC 提供的增值服务设备,例如防火墙、负载均衡设备等;功能区域三通过防火墙、IDS 等安全设备连接到互联网,并提供专线接入服务。

  6 保持合适的汇聚交换机和接入交换机的数量收敛配比是为了保证网络性能。根据业务服务器连接需求确定出接入交换机数量后,接入交换机的配置方式可以根据数量不同选择机架顶部配置方式、区域集中配置方式等。

3.5.2 本条规定了 IDC 网络系统路由设计有关要求。

  3 大二层为二层域更大的网络环境。传统的二层网络组网一般需要使用生成树协议控制环路,导致组网半径不能过大。大二层组网的具体实现可选用二层多路径组网技术,例如,基于隧道技术的实现方式,即通过在二层网络报文前插入额外的帧头信息,采用路由计算方式控制网络数据转发,也可采用基于各种虚拟交换机技术的实现方式等。

3.5.3 本条中的业务需求包括跨 IDC 的虚拟机迁移、灾备、业务负载分担等。不同 IDC 之间是通过 IP 路由连通的,要实现二层网络互联可采用基于隧道方式将二层数据报文封装在三层报文中的各种技术。

3.6 资 源 系 统

3.6.1 本条从形式上和用途角度对资源系统进行了描述。资源系统的实现可采用云计算技术,包括虚拟化技术、多租户技术等。云计算技术可以实现按需动态提供服务,系统繁忙时可动态增加资源,系统空闲时回收资源。利用云计算技术,将资源系统池化能够充分利用系统资源,克服"资源孤岛"导致的性能过剩,降低建设成本和能耗。

3.6.2 本条规定中,IP 地址资源需要为用户提供公网固定 IP 地址或私有 IP 地址规划,IDC 应负责申请、分配 IP 地址,并为 IP 地址提供网络路由。网络带宽资源为用户在 IDC 的 IT 设备提供互联网接入服务,IDC 负责提供至互联网的网络通道,并在相关网络设备上配置以限制用户的带宽或计量用户的网络流量。防火墙资源为用户的网络设备和应用提供防火墙服务,并允许用户配置防火墙安全规则,IDC 负责防火墙设备的采购、安装、配置以及管理维护,配置防火墙向用户提供相应服务。负载均衡资源为用户提供负载均衡服务,用于将访问请求分担到用户多台物理机或虚拟机上,提高用户系统的业务处理能力,IDC 负责负载均衡设备的采购、安装、配置以及管理维护,并配置负载均衡设备向用户提供相应服务。流量处理资源为用户的网络设备和应用提供异常流量清洗过滤服务,对 DDoS 攻击等损害网络可用性的攻击流量进行过滤,提高用户系统的安全性,IDC 负责流量处理设备的采购、安装、配置以及管理维护,并配置流量处理设备向用户提供相应服务。

网络资源池的实现技术除设备虚拟化外,目前软件定义网络技术尚在发展中,本规范未涉及。

3.6.3 本条规定中物理主机资源由 IDC 安装服务器设备,并配备 IP 地址以及带宽资源,出租给 IDC 用户使用。虚拟机资源是逻辑资源,用于向用户提供不同配置规格的虚拟机租赁服务,IDC 将物理服务器虚拟化成多个逻辑服务器。与物理主机租赁相比,虚拟机租赁具有资源与位置无关性、快速部署、灵活扩展、在线自助管理等特征。虚拟机出租可根据 CPU、内存、本地存储等不同资源配置情况、不同操作系统类型等划分为多种规格。

3.6.4 本条规定中块存储系统是逻辑资源,为用户服务器(如虚拟机)提供块级别存取服务,用户服务器操作系统以卷设备方式访问块存储空间。文件存储系统是逻辑资源,为用户提供文件系统级别的数据存取服务,用户操作系统通过文件系统挂载的方式访问文件存储空间。对象存储系统为用户提供可按需扩展的文档存取空间,用户可对任何类型的文档进行操作。表存储系统支持结构化或非结构化的数据存取、管理能力。

3.7 业 务 系 统

3.7.1 机房基础设施、网络系统、资源系统、管理系统和安全系统为 IDC 提供各种服务,IDC 的业务是通过组合各种关联的服务形成的,例如,主机托管业务包括了 IP 地址、带宽和机位租赁等服务。

3.8 管 理 系 统

3.8.2 本条规定了 IDC 管理系统网络管理功能有关要求。

4 拓扑管理是利用网络拓扑发现技术进行网络的发现、呈现的功能,根据发现的网络结构自动绘制网络拓扑图。

5 性能管理是对网络、服务器、存储等设备的性能及实时使用状况进行监控,并分析、报告。

6 故障管理是对不正常的网络、系统的运行状况进行检测、隔离和校正的一系列功能。当异常事件产生时,产生相关告警;当网络或系统的状态改变时,产生相关报告。

3.8.3 本条规定了 IDC 管理系统资源管理功能有关要求。

2 机房相关信息,例如机房地址、面积、负责人联系电话、手机、电子邮箱、机架总数量、各层交换机/路由器端口总数量、出口带宽、IP 范围、IP 数量等属性。机架、机位相关信息,例如机架规格、电源个数(已使用个数)、已使用接入层交换机端口个数、可使用机位(按 U 计算)、已使用机位(按 U 计算)、已使用 IP 个数、高度、宽度、深度、机架编号、自用端口等属性。

4 设备类型包括核心/汇聚/接入层路由器和交换机、服务器、存储设备、防火墙等,设备性质包括自有设备、租赁设备、用户设备等。

5 存储空间需管理信息例如空间容量、访问方式、文件系统、RAID 等级、备份方式、用户信息等。

3.9 安　　全

3.9.2　IDC 安全域划分举例：各种业务域、运维管理域、互联网接口域等，各安全域内部可根据业务类型与不同客户情况，再规划下一级安全子域。

3.9.3　本条规定了 IDC 应采用的安全技术措施。

　　1　安全加固措施包括禁用不必要的服务、修改不安全的配置、利用最小特权原则严格控制对设备的访问、配置适当的软件版本和必要的补丁等。

　　2　DDoS 攻击一般包括带宽消耗型攻击和主机资源消耗型攻击。带宽消耗型攻击会对 IDC 出口造成流量压力，阻塞 IDC 业务网络，影响 IDC 业务运行；主机资源消耗型攻击使服务器处理大量并发攻击请求，严重影响服务器内存、数据库、CPU 的处理性能，所以 IDC 需要加以防范。

　　异常流量检测和清洗的实现由检测子系统和清洗子系统两部分组成。在 IDC 出入口相关链路上部署流量检测子系统，进行流量检测；检测到异常流量攻击后，上报清洗子系统并把受攻击的主机流量引入清洗子系统进行异常流量清洗，将清洗后的正常业务流量重新注入 IDC 网络中。

　　6　IDC 的 VPN 接入方式可包括 IPSec VPN、SSL VPN 等。IPSec VPN 在 IP 层通过加密与数据源验证，保证数据包在互联网上传输时的私有性、完整性和真实性。SSL VPN 基于标准 TCP/UDP，不受 NAT 限制，能够穿越防火墙，用户在任何地方都能用标准浏览器通过 SSL VPN 网关代理访问内网资源。

　　7　虚拟化的安全管控措施包括：虚拟机管理器自身提供足够的安全机制，同一物理机上不同虚拟机之间进行资源隔离，虚拟机的安全组管理等。

　　10　实现数据安全隔离的技术措施包括物理隔离、虚拟化等。实现数据访问控制可采用基于身份认证的权限控制方式，在虚拟应用环境下,可设置虚拟环境下的逻辑边界安全访问控制策略。实现数据加密存储与传输可选择恰当的加密算法以及网络传输加密技术。对于云计算应用系统做好剩余信息保护,防止被非法恶意恢复。

3.11 码号与地址

3.11.2 目前 IPv4 地址已经非常紧张,考虑到网络演进的需要,本条规定了 IDC 应具备支持 IPv6 的能力。

3.13 能　耗

3.13.1 IDC 是耗能"大户",需要综合考虑能源效率问题,高效、节能是新建 IDC 的基本要求。

IDC 的 PUE 与所在地理位置、功率密度、主要业务类型、机架使用率等有很大关系。在进行 PUE 评估时需要同时采集公布相关信息,包括 IDC 地理位置、建筑形式、IDC 规模、设计功率密度、机房等级、实际使用率、用途、供电和制冷方式和是否采用了间接测量和估算等。

为了尽量消除在不同条件下测量 IDC 能耗的差别,PUE 评估需基于长期能耗测量结果。本条规定采用年测量周期内的 PUE 平均值。

需要注意的是,PUE 主要反映 IDC 机房基础设施的能效。降低 IDC 整体的能耗,也需要不断提高 IDC 中 IT 设备的能效。

3.14 设　备　配　置

3.14.1 IDC 设备包括 IT 设备和机房基础设施各系统设备。

IT 设备包括:IDC 网络设备如核心路由器、核心交换机、汇聚交换机、接入交换机等;IDC 安全设备如流量清洗系统、防火墙、入侵检测系统、VPN 网关、防病毒系统、用户接入审计系统等;负载均衡、SSL 加速设备等;IDC 服务器如小型机、机架服务器、刀片服务器等；IDC 存储设备如磁盘阵列、SAN 交换机、磁带库、虚拟带库、NAS 存储设备、分布式存储设备等；管理系统各种设备等。

机房基础设施系统设备包括：供电系统、空调系统、消防系统、安防系统等包含的设备，以及机架、布线系统等。

本条要求采用低能耗的设备。采用能效比好的设备是 IDC 节能的源头。例如，选用能效比好的 IT 设备就可以降低所需配套的空调和供电系统的容量及功耗，从而达到节能、节省投资和节省机房安装面积的目的。

3.14.5 本条规定了 IDC 采用的各种 IT 设备有关要求。

1 本款要求是考虑到 IDC 高密度应用环境下，应用流量存在浪涌突发情况，网络设备需要满足高吞吐量突发访问业务要求。

2 本款要求的服务器动态节能技术是指服务器根据业务负荷的变化，通过处理器降频、休眠和关内核、风扇智能调速以及整机功耗封顶等技术，降低服务器的整体能耗，可应用在服务器不需全速运转的系统中。服务器设备在配置时，需要根据机架运行功率设计，考虑可安装密度。

6 对虚拟化功能的支持是 IDC 实现云计算服务的基础。利用虚拟化技术，可以提升 IT 设备的资源利用率、缩短系统部署周期。

4 互联网数据中心工程施工

4.2 机架及 IT 设备系统的施工前准备

4.2.1 环境条件检查在设备安装前就应检验合格。在设备通电调测前,需要对机房环境进行一次清理整治,并进行检查。

4.2.2 施工安全是互联网数据中心工程顺利开展的前提。在施工前,对机房的安全条件进行全面检查是为了保证施工人员安全,也是保证进场设备安全的需要。

  1 互联网数据中心工程机房内设备安装较为密集,为保证施工人员安全,同时也保证进场设备安全,施工前机房内的消防措施必须有效、可靠。

  2 电缆走线孔洞由于上下贯通,在火灾时会产生烟囱效应,如不采取一定分隔措施,会加剧火势蔓延,机房内的电缆走线孔洞须采用防火封堵材料封堵。预留孔洞配置非燃烧材料安全盖板,除了作为防火措施、防止火势蔓延外,也是保护施工人员安全、防止意外伤害的需要。

  3 机房内不允许存放易燃、易爆等危险物品,主要是为了人员、设备的安全需要。

  4 互联网数据中心机房设备可能存在交流、直流多种电源,为防止设备接错电源,避免人员电击危险,不同电压的电源设备、电源插座要求有明显区别标志。

  本条为强制性条文。必须严格执行。

4.2.4 现场不具备产品功能、性能检测条件时,可委托国家认可的检测机构检测,或在生产厂进行检测,并出具检测报告。

4.3 机 架 安 装

4.3.1 本节对机架安装所提出的各项要求是为了安装可靠、维护使用方便、美观。

4.3.3 本条要求的机架标签中机架标识符格式举例如下：nnXXYY。其中,nn＝楼层号,XX＝地板网格列号,YY＝地板网格行号。

4.5 IT设备系统调测

4.5.2 软硬件检查测试的目的为检验单机设备配置的正确性、完好性与可用性,为各系统检测提供基础。

4 本款要求的软硬件配置检测包括软件版本、内存大小、接口板信息等,系统配置检测包括主机名、口令加密、开启的功能与服务等,端口配置检测包括端口类型、数量、端口状态、端口地址、端口描述等。

5 本款要求的主机配置检测包括CPU类型及数量、内存、内置存储设备、网络接口等,系统配置检测包括主机名称、操作系统版本、所安装的操作系统补丁情况等,网络配置检测包括IP地址、网络端口配置、路由配置等。

6 本款要求的系统配置检测包括硬盘配置数量及模式、缓存容量、端口状态等。

4.5.3～4.5.8 各条所列调测内容与本规范工程设计要求内容一致。具体工程实施中,除应按本规范各条要求调测外,还需根据工程合同要求对于未包括的部分进行调测。

4.6 竣 工 文 件

本节列出的竣工文件数量和内容可根据建设单位和施工单位商定增项或减项。工程有监理单位时,竣工文件中包含工程开工报审表。

5 互联网数据中心工程验收

5.1 工 程 初 验

5.1.1 初验的目的是检查系统及其相关软、硬件是否符合投入运转要求。

5.1.3 初验内容涵盖了本规范的主要技术要求。验收中还需要根据工程合同中的技术要求,对于未包含的部分进行检查、测试。

5.1.4 技术文件中的技术手册包含安装、配置、测试、操作维护、故障排除等内容,日常操作维护指导包括日常操作项目、操作步骤、预期结果、异常情况处理等内容。

5.1.5 IDC 机房基础设施有关工程的验收需遵循相关现行国家标准和行业标准的规定,本规范未作特别要求。本节主要对机架安装和 IT 设备系统的初验提出了规范要求。

5.1.9 本条规定了 IDC 的 IT 设备系统工程的初验测试内容与方式。设备检测按照不低于 10% 比例抽测;系统功能与性能及业务测试项目中,资源系统的测试按照不低于 10% 比例抽测,其他项目全测。当抽测 10% 不足一个单位时,按一个单位抽测。若抽测项目不合格,对该项指标追加 20% 测试,结果仍不合格的,该项目全部测试。

5.1.10 IDC 能耗测量分为不同场景,包括假负载测量、短时能耗测量和长期能耗测量。本条规定的 PUE 验证测试属假负载测量,在 IDC 投入使用之前,为检验供电系统、空调系统以及 IDC 能效情况,在机架中部署模拟服务器设备(假负载)进行测试。测试中需要注意局部 PUE 和整体 PUE 之分。如果该 IDC 机房位于多用途机房楼中,总能耗计算中需减去其他用途的能耗。

对于 IDC 总能耗,条件不具备时,可在变压器输出端进行测量,将测量值除以变压器效率典型值作为 IDC 总能耗测量结果。对于 IT 设备能耗,条件不具备时,可在各列头柜配电输入处进行测量,将测量值加总近似作为 IT 设备能耗测量结果;或者在 IT 设备供电系统输出端测量,将测量值除以配电效率典型值作为 IT 设备能耗测量结果。

5.1.12 初验不合格的项目不得交付使用,应由责任方立即整改或返修直至合格,对于无法立即整改直至合格的项目可列为初验遗留问题,限定整改完成时间,再进行补验。

5.2 工程试运行

5.2.1 工程试运行是对工程质量稳定性观察的重要阶段,是对设备、系统设计、施工实际质量最直接的检验。

S/N:155182·0017

9 155182001701

统一书号：155182·0017

定　　价：18.00 元

UDC

中华人民共和国国家标准

P

GB 51195－2016

互联网数据中心工程技术规范

Technical code for internet data center engineering

2016－08－26 发布　　　　2017－04－01 实施

中华人民共和国住房和城乡建设部
中华人民共和国国家质量监督检验检疫总局　联合发布